D0806882

LE MARIAGE DE LA PRINCESSE LAYA

Catalogage avant publication de Bibliothèque et Archives nationales du Québec et Bibliothèque et Archives Canada

Roussy, Maxime

Pakkal : le mariage de la princesse Laya

(Pakkal ; 10)
Pour les jeunes.

ISBN 978-2-923372-37-2

I. Titre. II. Titre: Mariage de la princesse Laya.
III. Collection: Roussy, Maxime. Pakkal ; 10.

PS8585.O876M37 2008 jC843'.54 C2008-942096-9
PS9585.O876M37 2008

Auteur: Maxime Roussy
Éditrice: Jacinthe Cardinal
Conceptrice graphique et logo: Marianne Tremblay
Révision : Rachel Fontaine
Illustration de la page couverture : Galin (Ivan Stoqnov)

Dépôt légal : 4e trimestre 2008
Bibliothèque nationale du Québec
Bibliothèque nationale du Canada

ISBN 978-2-923372-37-2

29, rue Royal, Le Gardeur (Québec) J5Z 4Z3
Tél. : (450) 585-9909 / Téléc. : (450) 585-0066

Société de développement des entreprises culturelles

Pour leur programme de publications, les Éditions Marée Haute reçoivent l'aide de la Société de développement des entreprises culturelles (SODEC).

Gouvernement du Québec — Programme de crédit d'impôt pour l'édition de livres — Gestion SODEC

Nous reconnaissons l'aide financière du gouvernement du Canada par l'entremise du Programme au développement de l'industrie de l'édition (PADIÉ) pour nos activités.

MAXIME ROUSSY

LE MARIAGE DE LA PRINCESSE LAYA

ÉDITIONS **MARÉE HAUTE**

Résumé des péripéties précédentes

L'Arbre cosmique est en danger, menacé par les rayons du soleil bleu qui risquent de l'anéantir. Si cette catastrophe se produit, le ciel s'écroulera sur le Monde intermédiaire et la Quatrième création s'effondrera. Pakkal doit sauver l'Arbre cosmique.

Mais auparavant, il doit faire revenir à la vie Frutok, mortellement atteint par un emperator. Dans ce but, avec l'aide de Yaloum, une chasseuse de sak nik nahal, il lui faut enterrer son cadavre au pied de l'Arbre cosmique. Cependant, toutes sortes de désagréments surviennent et c'est Frutok lui-même qui va se glisser dans sa tombe pour entamer le processus de résurrection.

Pakkal doit escalader l'Arbre cosmique afin d'atteindre le Monde supérieur. Malheureusement, l'arbre est en piteux état et la tâche se révèle impossible. Lorsque le prince touche son tronc, les tootkooks souffrent le martyre à cause d'un sortilège que Ah Puch leur a jeté. Que faire ? C'est Xantac qui vient le guider, ordonnant au prince de trouver l'œuf à la coquille de jade.

Pendant ce temps, dans le Monde inférieur, les géants Pak'Zil et Zipacnà poursuivent leur quête : retrouver le corps de Zenkà afin de lui permettre de réintégrer le Monde intermédiaire. Pour cela, ils vont à la rencontre du Ooken, le lilliterreux qui permet aux corps morts de reprendre vie. Le Ooken les accueille chez lui et prend soin de Xol, un Maya qu'ils ont rencontré dans leurs pérégrinations. Il va aussi aider Zenkà à satisfaire son désir de retrouver son corps. Le lilliterreux plante dans la tête du guerrier de Kutilon une graine capable de lui faire réintégrer son corps, massacré par Muan.

De la bouche de Yaloum, sa compagne de voyage, Pakkal apprend l'histoire d'une femme torturée qui doit l'aider à trouver l'œuf à la coquille de jade. Mais au moment où le prince va mettre la main sur le précieux œuf, cette femme se retourne contre lui et l'accuse de crimes qu'il n'a pas commis. Le redoutable chef des Gouverneurs, Boox, intervient et affronte Pakkal dans un combat au terme duquel il sera vaincu. Projeté au haut d'un arbre, le jeune garçon sera ensuite attaqué par de nombreux singes hurleurs qui lui raviront l'œuf à la coquille de jade.

Malgré les soins du lilliterreux, l'air du Monde inférieur, corrompu par les rayons du soleil bleu, continue ses ravages. Le Ooken fait donc appel à un ami Maya, Tuzumab, le père de Pakkal. Celui-ci, après un combat ardu contre les nohochs, doit affronter Ah Puch, farouche ennemi des Mayas. Mystérieusement, Ah Puch laisse la vie sauve à Tuzumab, qui va sauver Pak'Zil.

Pakkal, assis sur la sauterelle géante avec Yaloum, réussit à retrouver les singes, mais au moment où il s'apprête à reprendre l'œuf, le prince de Palenque est transformé en singe hurleur. Il retourne à l'Arbre cosmique et parvient enfin à l'escalader grâce à ses nouvelles habiletés de singe. Toutefois, l'Arbre cosmique, en réaction à sa présence, tente de le faire disparaître puis s'effondre. Et c'est le géant Pak'Zil qui va empêcher le ciel de tomber en le tenant au bout de ses bras.

Pakkal est parvenu à atteindre le Monde supérieur, là où Ohl Mat, son cher grand-père, l'accueille avec bienveillance. Sans perdre un instant, il le conduit néanmoins devant Buluc Chabtan, dieu de la Guerre et de la Mort subite, qui possède un feu bleu destructeur. L'affrontement est hélas inévitable !

•

Dame Kanal-Ikal entra dans la chambre de son petit-fils Pakkal. Son regard se posa sur la cage de la mygale, cette araignée géante qu'elle détestait tant. Puis elle s'assit sur son lit et observa la lance de Buluc Chabtan qu'on avait déposée sur le sol. Elle ferma les yeux, emplit ses poumons d'air, puis expira bruyamment.

Depuis plusieurs heures, elle était prisonnière de la hutte royale. Impossible d'en sortir, car les rayons bleus du soleil lui brûlaient la peau. Le même phénomène se produisait pour tous les citoyens de Palenque, qui fuyaient le soleil et demeuraient cachés, plusieurs croyant que la fin du monde était arrivée. En observant le triste décor des ruines de Palenque, dame Kanal-Ikal crut sincèrement que la Quatrième création vivait ses derniers moments. Elle était affligée, surtout pour son petit-fils de douze ans, Pakkal, qui avait déployé des efforts considérables pour éviter cette situation. Pourtant, dame Kanal-Ikal demeurait sereine. Si la mort devait survenir, elle se rendrait à Xibalbà, le sourire aux lèvres. Elle n'avait aucun regret. Toutefois, elle avait un désir, un seul, celui de revoir son petit-fils avant de mourir afin de lui dire à quel point elle était fière de lui.

Une voix presque éteinte la tira de ses rêveries.

– Je peux vous déranger ?

C'était Kalinox, le vieux scribe. Elle ne l'avait pas entendu pénétrer dans la hutte. Il se déplaçait désormais à l'aide d'un bâton, comme si les derniers événements avaient ajouté sur ses épaules un poids supplémentaire.

Le vieil homme s'assit aux côtés de dame Kanal-Ikal et lui demanda :

– Je peux faire quelque chose pour vous ?

Elle fit oui de la tête.

– Prenez-moi dans vos bras.

Elle éclata en sanglots.

Rien n'allait plus. On ne pouvait plus boire l'eau et la nourriture se faisait rare. Les feuilles des arbres se consumaient et tombaient, les arbres eux-mêmes se fracassaient sur le sol. Les animaux qui osaient sortir de leur tanière ne se rendaient pas très loin. Les oiseaux tombaient raides morts en plein vol. La Forêt rieuse n'était plus que désolation.

La souveraine de Palenque, en l'absence de sa fille et de Pakkal, avait fait du mieux qu'elle avait pu pour rassurer la population. Mais ses mots comptaient peu pour ses sujets qui tremblaient en constatant les effets néfastes des rayons du soleil bleu.

Dans un geste désespéré, dame Kanal-Ikal avait fait rouvrir un des temples où se trouvaient des provisions de nourriture à distribuer uniquement en cas de nécessité absolue. Elle avait pensé que ce geste allait être apprécié, mais ce fut tout le contraire : un sentiment de panique avait gagné la population. Si on touchait à cette réserve, se disaient les gens, cela signifiait que l'heure était grave. Et il était notoire que ces provisions étaient strictement réservées à la famille royale, à l'armée et aux fonctionnaires. De mémoire de Maya, aucun souverain n'avait fait preuve de tant de générosité en partageant ses propres provisions avec le peuple. Dame Kanal-Ikal avait cru que déroger à la tradition allait atténuer les angoisses des citoyens de Palenque. Elle s'était trompée. Des rumeurs inquiétantes avaient fait le tour des huttes, de sorte que lorsque la nourriture fut distribuée par les Guerriers célestes, il y eut des injures et des bagarres éclatèrent. Les nerfs des citoyens étaient à vif, le tumulte se transforma en émeute. Dame Kanal-Ikal ordonna à Docalt, le chef des Guerriers célestes, de contrôler la foule et de ne blesser personne.

Des situations aussi chaotiques se produisaient dans toutes les cités du monde maya. Si personne n'intervenait, c'est tout l'empire qui allait s'effondrer.

Dans la hutte royale, un bruit d'une rare intensité se fit entendre. Ce fut comme un coup de tonnerre qui se prolongeait indéfiniment. L'habitation fut lourdement secouée, comme si Zipacnà s'était amusé à l'agiter de ses mains puissantes.

Dame Kanal-Ikal sursauta et retira vivement son visage de l'épaule de Kalinox.

– Que se passe-t-il ?

– Je l'ignore, répondit le vieil homme.

Il se releva péniblement et regarda par la fenêtre.

– Nom d'Itzamnà !

Le ciel était séparé en deux, littéralement. Comme si on l'avait partagé d'un coup d'obsidienne. Dame Kanal-Ikal s'étendit sur le lit de Pakkal.

– Ne me dites pas ce qui se passe, dit-elle. Venez plutôt me tenir compagnie.

Kalinox s'allongea aux côtés de dame Kanal-Ikal, chercha sa main et la prit dans les siennes.

À des milliers de lieues de la résidence royale, Pak'Zil tenait le ciel à bout de bras. Il savait que s'il le lâchait, tout allait s'effondrer.

– À l'aide ! Je ne peux plus tenir ! Zipacnà ! Zipacnà ! Vite !

Mais le géant à la tête de crocodile était encore inconscient, assommé par une partie de l'Arbre cosmique qui lui était tombée sur la tête.

Yaloum tenta de démêler les branches du grand arbre qui, en se fracassant au-dessus d'elle, avaient formé un dôme de protection. Elle n'avait pas été blessée, pas même une égratignure. Elle se rendit aux côtés du géant, leva la tête et lui cria :

– Tu dois tenir le coup, Pak'Zil ! Tiens bon !

– Facile à dire ! s'exclama le scribe. Les bras commencent à me brûler ! Allez réveiller Zipacnà immédiatement, je ne trouve pas ça drôle du tout !

Yaloum chercha des yeux le géant. Elle aperçut un de ses pieds qui émergeait des branchages, mais le reste était invisible.

– Je doute qu'il soit endormi, dit Yaloum.

– Qu'il dorme, qu'il danse ou qu'il chante, peu m'importe ! Arrangez-vous pour le tirer de sa torpeur, il doit me venir en aide !

Tuzumab, père de Pakkal, en voyant l'Arbre cosmique s'effondrer, avait couru se mettre à l'abri.

Sa rencontre avec Ah Puch ne l'avait pas laissé indemne. À présent, il se demandait pourquoi il ne l'avait pas tué.

Pendant que Pak'Zil continuait de se plaindre, Tuzumab eut une forte intuition.

– Ils s'en viennent, murmura-t-il.

Il se dit que c'était urgent et qu'il devait donner l'alerte.

Il courut en direction de Pak'Zil et dès qu'il fut assez proche, il hurla :

– Ils s'en viennent !

Pak'Zil se retourna :

– Mais de qui parles-tu, Tuzumab ?

Il pointa l'horizon.

– Je parle d'eux, dit-il.

• •

S'ils avaient pu le faire, les dieux bienveillants, ainsi que tous les rois et toutes les reines qui avaient été admis dans le Monde supérieur, auraient chassé Buluc Chabtan, dieu de la Mort subite, de leur domaine. Mais parce que celui-ci était parvenu à soumettre Hunahpù, le dieu Soleil, tous ces souverains en étaient réduits à observer les dommages que provoquaient les rayons bleus. De puissants qu'ils étaient jadis, ils étaient devenus faibles et inoffensifs. Ainsi, ils avaient observé le Monde intermédiaire, leur œuvre, se désagréger sans pouvoir intervenir. Le Monde inférieur semblait bien proche de réaliser son souhait ultime : transformer le Monde intermédiaire en un dixième niveau de Xibalbà.

Ne leur restait plus qu'un espoir : un jeune homme de douze ans, né à Palenque avec six orteils à chaque pied, nommé K'innich Janaab Pakkal. L'adolescent, qu'on surnommait le « bouclier », avait réalisé plusieurs exploits depuis qu'on l'avait investi d'une mission, celle de sauver la Quatrième création. Il devait maintenant relever un autre défi, celui de combattre le terrible Buluc Chabtan.

Afin de se rendre dans le Monde supérieur, il avait dû troquer son corps de Maya contre celui d'un singe hurleur. Cette métamorphose augmenterait-elle ses chances de succès ? Personne ne pouvait le dire. Toutefois, il était beaucoup plus agile et rapide dans ce nouveau corps que dans celui d'un humain.

Ohl Mat, son grand-père adoré, l'avait accueilli au premier niveau du Monde supérieur et l'avait mené au dieu de la Mort subite. Pakkal savait ce qu'il devait faire.

Il ne perdit pas de temps : il chargea à fond de train en direction de son ennemi. Mais Buluc Chabtan en avait vu d'autres. Il fit une clé de bras au prince et réussit à le coucher au sol. Il tenait son avant-bras sur la gorge du prince. Il approcha sa torche de feu bleu de son visage.

– Tellement prévisible, dit-il, avant de passer sa langue sur ses dents pourries. Si tu crois qu'avec ta nouvelle fourrure tu pourras avoir le dessus sur moi, tu te trompes !

Pakkal décida de profiter de ses nouveaux atouts : il planta ses dents longues et pointues dans le bras de son assaillant et arracha un morceau de chair laquelle, comme s'il s'agissait de braise, lui brûla immédiatement la bouche.

Buluc Chabtan se redressa et poussa un cri de douleur. Puis il observa les dommages : les puissantes mâchoires du prince s'étaient enfoncées profondément dans la chair. On voyait maintenant l'os de son bras.

Pakkal se redressa et recracha le morceau brûlant. Puis, profitant de la stupéfaction du dieu malveillant, il le griffa sur une cuisse. Buluc Chabtan répliqua. Il tenta de l'atteindre avec sa torche de feu bleu en faisant valser celle-ci devant lui. Pakkal parvint à l'éviter.

Ohl Mat n'était plus seul à les regarder s'affronter. Des dizaines de rois et reines l'observaient en silence, accompagnés de quelques dieux. Pakkal s'en rendit compte et fut déconcentré. Sa distraction lui valut un coup de torche sur la mâchoire inférieure, puis un autre sur la tête. Il s'effondra.

Buluc Chabtan, d'un air arrogant, observa les spectateurs.

– Regardez votre prince aux douze orteils. Regardez comme il est puissant ! C'est lui qui sera votre sauveur ! ajouta-t-il en ricanant.

Buluc Chabtan lui asséna un coup de pied au visage. Pakkal, qui s'était relevé, retomba sur le dos. Le dieu de la Mort subite posa un pied sur sa poitrine.

– Il a même fallu qu'on le transforme en singe pour qu'il puisse m'atteindre ! Voyons voir si mon feu bleu se régalera de sa fourrure.

Il approcha lentement sa torche. Au moment où la flamme allait entrer en contact avec les poils du prince, elle quitta violemment ses mains et alla atterrir plus loin. Pakkal s'empara d'un des pieds de son ennemi et le tordit. Il y eut un craquement. Le talon était maintenant à la place des orteils.

Ce fut au tour de Buluc Chabtan de se retrouver dos au sol. Pakkal se remit sur ses pattes. Il approcha de son ennemi et tenta de l'approcher, mais Buluc Chabtan, enfonçant ses doigts dans la poitrine velue, en écarta les côtes. Un essaim de mandibailés, ces êtres minuscules et ailés qui vivaient dans la poitrine de Buluc Chabtan et lui servaient de mouchards, s'échappa et vint importuner le prince. Ils attaquaient les yeux, s'infiltraient dans les oreilles et les narines en poussant des cris de nourrisson.

Buluc Chabtan profita de ce répit pour redresser son pied. Il poussa un grognement, puis donna un coup sec. Son geste ne produisit pas le résultat escompté : son pied se détacha et resta dans ses mains. Il frappa le sol avec son poing, puis lança son pied loin de lui. Il se mit à genoux et entreprit de retrouver sa lance.

Pakkal était assailli par les mandibailés. Certains s'étaient infiltrés profondément dans ses oreilles, il les entendait gratter les parois de ses conduits auditifs. D'autres étaient parvenus à s'insinuer dans ses narines, atteignant sa gorge et sa bouche. Ils lui mordillaient la langue et le palais.

Ces intrusions auraient été suffisantes pour rendre fou n'importe quel être doté de raison. Pakkal ouvrit la gueule et une profusion de petits cris en sortirent, comme ceux qu'il avait l'habitude d'entendre dans la Forêt rieuse. Surpris par la puissance de ses hurlements, il constata avec soulagement que les mandibailés, effrayés, commençaient à s'enfuir. Il en vit quelques-uns revenir à la charge. Mais dès qu'il laissa échapper de nouveaux cris, ils rebroussèrent chemin et disparurent.

– Pakkal !

C'était Ohl Mat. Il pointa le ciel.

– Le soleil reprend sa couleur.

C'était vrai. Le soleil passait lentement du bleu à l'orangé. Que se passait-il ? Était-ce parce que Buluc Chabtan ne tenait plus la torche bleue entre ses mains ?

Buluc Chabtan, toujours à quatre pattes, tentait de reprendre sa torche. Pakkal, voyant que les mandibailés se dirigeaient tous au même endroit, en déduisit que les bestioles retournaient au nid. Il n'eut qu'à les suivre pour retrouver le frère de Ah Puch.

Il arriva à temps, au moment où Chabtan allait mettre la main sur sa torche. Pakkal la repoussa du pied et réussit à s'en emparer. Buluc Chabtan ouvrit la main et la tendit vers le prince.

– Ma torche ! Il me la faut !

Pakkal se mit à sauter sur place et à pousser des cris. Puis il lança la torche de toutes ses forces.

Le soleil avait presque repris sa teinte normale et le visage de Hunahpù n'affichait plus son air affligé, il était maintenant serein.

Le prince sentit qu'on posait une main sur son épaule. C'était son grand-père. En se retournant, il constata que les dieux et les rois et les reines qui l'accompagnaient s'avançaient vers lui. Ils ne semblaient plus accablés comme lorsqu'ils avaient regardé le combat. Ils formèrent un cercle autour de Buluc Chabtan qui, du même coup, se mit à les menacer.

– Si vous me touchez, vous en subirez les conséquences. Le grand Ah Puch vous le fera regretter. Il sera sans pitié avec vous. Il vous…

– Tais-toi !

Un être se détacha du groupe. C'était Hunahpù.

– Laissez-le-moi, je vais m'en occuper.

• • •

Les bras tendus vers le ciel, Pak'Zil tournait la tête à gauche et à droite, tentant vainement d'apercevoir qui étaient ceux dont parlaient ses amis.

– De qui parlez-vous ? demanda-t-il à Tuzumab.

– Là-bas. Les chauveyas.

Alors seulement, Pak'Zil considéra la horde de chauves-souris géantes qui volaient de manière désordonnée mais se dirigeaient bel et bien vers eux.

– Non, non, pas eux, fit Pak'Zil. Je ne veux vraiment pas les voir en ce moment.

– Tu n'auras pas le choix, dit Yaloum.

– Nous avons besoin de Zipacnà, maintenant ! Réveillez-le, quelqu'un !

Puis, dans la direction du géant :

– Assez rigolé ! Lève-toi !

Le jeune scribe se retourna. Les chauveyas approchaient plus rapidement qu'il ne l'avait cru.

– Je ne pourrai pas résister !

Mais les chauveyas, au lieu d'attaquer, se mirent à tourner autour de Pak'Zil et l'entourèrent en grand nombre.

– Qu'est-ce que vous me voulez ? dit-il. Je n'ai vraiment rien fait pour mériter ce sort, je vous le jure !

Pour les repousser, Pak'Zil soufflait très fort sur eux. Les quelques chauveyas touchés étaient repoussés des mètres plus loin, mais ils revenaient aussitôt à la charge comme s'il ne s'était rien passé. Pak'Zil s'arrêta, il commençait à être étourdi.

– Vous allez me rendre fou ! leur cria-t-il. Allez-vous-en !

Comme il en avait plein les bras, c'est avec ses pieds qu'il tentait de les chasser. Peu sensibles à cette drôle de gigue, les chauveyas poursuivirent leur manège.

Tuzumab était maintenant assis sur le sol, la tête dans les mains. Dans son esprit, les informations circulaient, mais il ne parvenait pas à trier celles qui étaient prioritaires. Yaloum s'aperçut de son trouble.

– Qu'est-ce qui ne va pas ?

– Je... Je ne sais pas, dit-il. J'ai l'impression d'avoir accès à toutes les connaissances du monde.

– Comment cela est-il possible ?

– Depuis que j'ai rencontré Ah Puch dans le Monde inférieur et que j'ai mis la main sur son bâton, je ne suis plus le même.

– Oh là, les amis ?! intervint Pak'Zil. Que diriez-vous de faire connaissance une autre fois ? Je vous rappelle qu'il y a des centaines de chauveyas qui me tournent autour et menacent de me faire tomber, moi et tout ce que je tiens au bout de mes bras.

Yaloum ignora les doléances du géant et s'adressa à Tuzumab :

– Ah Puch ? Comment se fait-il que vous soyez encore vivant ? Il me semblait avoir entendu dire que les gens qui le rencontraient mouraient immédiatement.

Tuzumab ferma les yeux et fronça les sourcils.

– J'ignore pourquoi j'ai été épargné, mais je me sens bizarre…

Il s'interrompit pour observer le ciel. Le soleil avait changé de couleur. Le bleu s'estompait pour laisser place à une belle lumière orange.

– Il a réussi, murmura-t-il en souriant.

– Pakkal ?

– Oui, il est parvenu à avoir le dessus sur Buluc Chabtan.

Pak'Zil avait tout entendu.

– Je suis bien content pour lui, mais je vous rappelle que je tiens le ciel au bout de mes bras et qu'à tout moment, ces chauves-souris géantes peuvent me faire tomber ou me dévorer vivant !

– Il y a une raison pour laquelle Ah Puch ne m'a pas tué, poursuivit Tuzumab.

– Et pourquoi donc ? demanda Yaloum.

Le père de Pakkal regarda les chauveyas tourner autour de Pak'Zil, qui tentait toujours de les faire fuir en leur donnant des coups de pied.

– Ils attendent.

– Qui ?

– Les emperators. Ils arriveront très bientôt.

– Ce n'est pas vrai ? fit Yaloum en haussant le ton.

– Quoi ? demanda Pak'Zil. Que complotez-vous en bas ?

Pendant un instant, Yaloum se demanda si elle devait avertir Pak'Zil de cette nouvelle menace, l'arrivée éventuelle des scorpions géants.

– Ce n'est rien, dit-elle.

– Qu'est-ce que vous murmurez ? demanda Pak'Zil. On me cache toujours tout, à moi, ce n'est pas juste. Dites-moi ce qui se passe, j'ai le droit de savoir !

– Les chauveyas ne nous attaquent pas parce qu'ils attendent du renfort.

– Quoi ?! Du renfort ? Ils ne sont pas assez nombreux ?!

Yaloum ne répondit pas. Elle tentait de trouver un moyen d'échapper à cet assaut.

Il y avait bien sûr la fuite à l'aide de sa sauterelle géante. Mais ce n'était qu'une solution à court terme. Les chauveyas n'allaient pas tarder à les rattraper. Et avec l'arrivée des emperators, ce serait carrément suicidaire de demeurer sur les lieux. Mais Pak'Zil ne pouvait pas rester seul. Bien que géant, il n'avait aucune chance. Si Xibalbà avait envoyé un nombre aussi impressionnant de soldats, il était clair que c'était pour anéantir Pak'Zil. Cette bataille était perdue d'avance. Elle considéra ses compagnons : Zipacnà était inconscient — sa poitrine se soulevait toujours au gré de ses respirations —, Pak'Zil tenait le ciel à bout de bras et Tuzumab était confus, dépassé par les évènements. Quant à elle, elle n'avait pour toute défense qu'un couteau d'obsidienne.

– Quand vous parlez de renfort, vous parlez de qui ? insista Pak'Zil. Je veux le savoir !

– Des emperators, fit Yaloum en soupirant.

– Je n'ai rien entendu ! dit Pak'Zil, je ne veux pas le savoir…

Yaloum se tourna vers Tuzumab :

– Combien de temps avons-nous avant l'arrivée des emperators ?

– Je ne sais pas, dit le père de Pakkal. Mais je les vois qui s'avancent dans la forêt. Et ils sont nombreux.

Le visage de Tuzumab changea soudainement, comme s'il venait d'apercevoir un fantôme.

– Que se passe-t-il ?

– Il est là, souffla-t-il.

– Qui ?

Tuzumab ne répondit pas.

– Qui ? insista Yaloum.

L'homme tournait la tête, les yeux exorbités. Yaloum tenta de reprendre contact avec lui, mais c'était peine perdue.

Il ne restait plus qu'à alerter les tootkooks, pensa Yaloum. Eux pourraient peut-être leur venir en aide. À condition qu'ils soient en état de combattre.

Elle s'enfonça dans la jungle et les repéra rapidement. Tous avaient repris leur apparence d'origine et se trouvaient réunis autour de la dépouille de leur chef, Dirokzat. Frutok, redevenu enfant, était promené de bras en bras, ne réalisant pas la gravité de la situation. Yaloum s'approcha d'eux, mais ce faisant, elle s'aperçut qu'elle avait de plus en plus de mal à les distinguer. Ils devenaient translucides, comme s'ils s'éteignaient au fur et à mesure que le soleil reprenait de la vigueur.

– Tootkooks, dit-elle. J'ai besoin de votre aide.

Sans se concerter, ils se dispersèrent en silence, comme si on venait leur annoncer une catastrophe imminente. Yaloum tourna la tête dans tous les sens, à la recherche de ce qui aurait pu représenter une menace.

En courant, elle retourna aux côtés de Tuzumab. Elle comprit enfin pourquoi les tootkooks s'étaient enfuis.

••••

Hunahpù fit signe à Buluc Chabtan de se relever.

– Debout ! ajouta-t-il.

Malgré la situation qui n'était nullement à son avantage, un sourire rempli de mépris flottait sur les lèvres du dieu du Monde inférieur. Puis il dit :

– Si tu poses un doigt sur moi, tu te retrouveras à Xibalbà sans t'en rendre compte. Et Ah Puch se fera un devoir de te dévorer jusqu'au dernier os.

– Tu n'es pas en position de me menacer, fit le Soleil.

– Je suis puissant, répliqua Buluc Chabtan en regardant les spectateurs. Plus puissant que vous tous réunis ! ajouta-t-il.

– Debout ! répéta Hunahpù.

Le dieu de la Mort subite se releva, mais difficilement étant donné qu'il lui manquait un pied. Une fois debout, il cracha au visage de Hunahpù un liquide verdâtre et gluant.

Le Soleil essuya le liquide du revers de la main.

– Tu es répugnant, dit-il.

Buluc Chabtan le fixa sans répondre.

– Je veux faire livrer un cadeau à ton frère. J'ai besoin de toi.

En guise de réponse, Buluc Chabtan leva le poing et tenta d'atteindre Hunahpù qui, tout en l'évitant habilement, lui flanqua un violent coup de genou au visage. Chabtan tomba. Lorsqu'il se releva, une substance jaune et grumeleuse s'échappa de son nez déformé par le coup. Il sortit la langue, lécha sa lèvre supérieure et, à l'aide de ses mains, tenta de redresser son nez. On entendit un craquement, mais le nez ne reprit pas sa forme initiale et le bout en demeura aplati, ce qui lui donna un air grotesque.

Chabtan esquissa un sourire goguenard tout en jetant un regard meurtrier à son offenseur.

– Tu vas le regretter, lui dit-il.

– Ton arrogance causera ta perte. Et celle de tes sinistres amis. La Quatrième création est entre bonnes mains. Pakkal sera un jour un des grands de notre royaume.

– Un singe ! Ah ! Ah ! Ah ! Voilà bien ce que vous valez !

Buluc Chabtan fit pénétrer une de ses mains dans sa poitrine d'où il retira une de ses côtes. Les mandibailés n'eurent pas le temps de sortir pour attaquer. Hunahpù inséra sa main dans la poitrine du dieu malveillant. Lorsqu'il la retira, des flammes s'en échappaient. Il y eut d'horribles cris. Les mandibailés qui parvenaient à prendre leur envol s'étaient enflammés. À peine avaient-ils eu le temps de donner quelques coups d'ailes qu'ils s'écrasaient aussitôt. Après une courte agonie, ils cessaient de bouger.

Une fumée noire, épaisse et d'une odeur pestilentielle se dégageait de Buluc Chabtan.

Le dieu malveillant était sur le dos. Il tentait d'éteindre le feu en frottant ses mains sur sa poitrine.

Hunahpù posa son pied sur sa gorge. Les flammes lui léchaient les jambes, ce qui ne semblait nullement l'importuner.

– Tu vas m'écouter, maintenant ?

– Oui, oui ! Mais éteignez d'abord ce feu !

Hunahpù fit signe à un des dieux qui l'encerclaient de s'avancer. Il n'était pas difficile de deviner qui il était : il portait dans son dos des ailes translucides parsemées de veines. Sa tête était celle d'une abeille; de grands yeux noirs en forme de larme inversée, des poils jaunes et noirs, des mandibules ainsi que deux antennes. C'était Ah Mucen Cab.

L'abeille géante détacha de sa ceinture un petit flacon de terre cuite, en retira le bouchon et en versa le contenu, du miel, sur la poitrine de Buluc Chabtan. Malgré la petitesse du contenant, le miel ne cessa de couler que lorsque Ah Mucen Cab remit le flacon à sa ceinture. Le feu était maintenant éteint. Ah Mucen Cab s'empara de Buluc Chabtan, le releva et le plaça devant Hunahpù.

– Laisse-moi te montrer le cadeau que je veux faire parvenir à ton frère. Je crois qu'il va l'apprécier.

Pakkal, qui avait assisté à cette scène sans dire un mot, fut brusquement tiré par son grand-père, qui lui dit :

– Laisse-moi te présenter à tes ancêtres maintenant.

Tous y étaient, qui avaient un jour ou l'autre régné sur Palenque, dans toute leur splendeur et leur prestance. Il y avait K'uk Balam, Ahkal Mo' Naab I, B'utz Aj Sak Chiik, Casper, dit 11 Lapin et K'an Joy Chitam I. Si Pakkal n'avait pas été transformé en un singe hurleur, des rougeurs seraient apparues sur ses joues. On lui avait longuement parlé de ces êtres, de leur persévérance et de leur force de caractère. Il leur avait fallu beaucoup de courage et de détermination pour construire, pierre après pierre, une cité aussi prestigieuse que celle de Palenque. Il avait fallu une force de persuasion inouïe pour convaincre leurs sujets de travailler à ce projet. Les sacrifices avaient été grands pour faire de Palenque ce qu'elle était devenue lorsque son grand-père en était le roi.

Pakkal n'avait jamais été aussi intimidé. Lui, un jeune garçon de douze ans sans expérience, et transformé en singe hurleur en plus ! Palenque n'était plus ce qu'elle avait été, les pyramides et les temples avaient été saccagés et plusieurs d'entre eux étaient méconnaissables. Pakkal se sentait en partie responsable de ce fiasco parce qu'il n'avait pas pu empêcher l'invasion du Monde inférieur. Lui, K'innich Janaab Pakkal, n'avait encore rien réalisé qui puisse justifier ses entrées dans le Monde supérieur. D'autant qu'il avait eu souvent l'impression de perdre la guerre avec Xibalbà. Allait-il être le roi qui ne saurait freiner à temps les assauts de Ah Puch, provoquant ainsi la destruction de la Quatrième création ?

Il fut tiré de ses pensées par un coup de vent chaud et sec. En un même mouvement, tous les ancêtres du prince se mirent à genoux et baissèrent la tête. Ne sachant ce qui se passait, Pakkal fit de même. Il leva les yeux et vit un serpent à plumes géant voler dans leur direction. C'était Itzamnà, le père de tous les dieux.

Il atterrit en face du prince.

– Pakkal. La princesse Laya est détenue par Ah Puch et elle est en danger. Tu dois la secourir.

La queue du serpent s'enroula sur elle-même.

– C'est pour sceller un pacte que Ah Puch l'a promise. Si le mariage est célébré, il sera trop tard : elle ne sera plus libre.

Les ancêtres de Pakkal ayant toujours la tête baissée, Pakkal hésita à se relever.

– Laya a été choisie car les sak nik nahal la voient avec des cheveux de couleur d'or.

Des cheveux de couleur d'or, se dit Pakkal. Quelle étrangeté ! On avait déjà raconté au prince que des gens naissaient avec des cheveux blancs et des yeux rougeâtres. Mais des cheveux jaunes, ça, jamais !

– Le promis de ton amie est un être fort puissant que tu as déjà rencontré. S'il réussit à l'épouser, le couple engendrera des êtres mi-Mayas, mi-sak nik nahal qui vivront dans la Cinquième création. C'est la promesse que Ah Puch lui a faite. Cet homme s'appelle Boox. Et c'est le chef des Gouverneurs.

—

Tuzumab savait que l'heure était grave mais il n'en laissait rien paraître. Même s'il aurait aimé intervenir, il se savait paralysé par les informations que son cerveau intégrait à un rythme effréné. C'était parfois si intense qu'il ne parvenait pas à bouger.

Il songea à Ah Puch qui avait été averti que l'ami de Pakkal tenait le ciel à bout de bras. Mais par qui en avait-il été informé ? Tuzumab l'ignorait complètement. Il avait vu les chauveyas et les emperators recevoir l'ordre de se rendre au milieu du monde maya, là où se trouvait le défunt Arbre cosmique. Il avait vu aussi Cabracàn, dieu des Tremblements de terre, emprunter cette route. Ah Puch désirait fortement que le ciel s'écroule et il n'avait lésiné sur aucun moyen. Il agissait comme un individu qui veut tuer une mouche en lançant un temple dessus.

Le père du prince de Palenque jugeait la situation désespérée. Qui pourrait leur venir en aide ? Qui pourrait prendre la relève de Pak'Zil ? Et qui pourrait faire fuir les centaines de chauveyas, d'emperators et

Cabracàn s'avançant vers eux ? À force de retourner le problème dans sa tête, il lui vint une idée. Il songea à un ami qu'il avait un jour aidé lors de ses pérégrinations, mais dont il n'avait plus entendu parler depuis longtemps. Lui serait peut-être en mesure de les secourir.

Tuzumab se concentra et songea à son ami. Il savait qu'il était maintenant capable de télépathie, même s'il ignorait comment cela se passait. Fallait-il seulement songer à cette personne pour qu'elle entre en contact avec lui ?

Il fut interrompu par Yaloum, qui lui posa des questions auxquelles il répondit distraitement. Puis, il eut une forte intuition qui eut pour lui valeur de vérité : une personne avait été chargée de l'empêcher d'agir. Il n'arrivait pas à savoir qui était cet ennemi potentiel, mais il le savait proche.

Il voulut s'enfuir, mais il reçut un violent coup dans le dos qui le fit s'affaler sur le sol. Lorsqu'il releva la tête, l'individu qui l'avait frappé se tenait à côté de Yaloum.

Celle-ci, même si elle ne l'avait jamais rencontré, sut immédiatement à qui elle avait affaire. La créature avait posé un pied sur le dos de Tuzumab et le maintenait au sol. Elle ressemblait à un petit chauveyas et portait une coiffure de plumes.

– Salut, beauté, dit-il, en voyant Yaloum.

C'était Cama Zotz, le chef des chauveyas. Il dépliait et repliait ses ailes lentement, comme pour les faire sécher.

Yaloum craignit pour la vie de Tuzumab. Mais Zotz, même s'il l'immobilisait fermement, ne semblait pas décidé à lui faire du mal.

– On essaie d'empêcher le ciel de s'effondrer ? demanda-t-il d'un ton moqueur. C'est vilain d'aller à l'encontre des volontés de Ah Puch, vous devriez être au courant.

Yaloum tourna la tête vers Pak'Zil. Son front était couvert de sueurs et sa respiration était de plus en plus saccadée. Manifestement, il lui était de plus en plus pénible de tenir le ciel au bout de ses bras.

Les premiers emperators firent leur apparition, venant de toutes les directions à la fois. Il y en avait tant que Yaloum et Tuzumab furent rapidement encerclés. Il n'y avait désormais aucune possibilité de fuir.

Zotz se pencha au-dessus de Tuzumab.

– Je crois que ton ami ne pourra pas grand-chose. Qu'est-ce que tu en penses, Bizarro ?

– Je ne me sens pas bien, hurla Pak'Zil, les yeux fermés et le menton collé sur la poitrine. J'ai l'impression que je vais perdre connaissance.

– Ton calvaire se terminera bientôt, lui cria Zotz. Encore quelques instants et le spectacle pourra commencer.

Cama Zotz ouvrit la gueule et poussa un cri aigu. Les chauveyas cessèrent de tournoyer autour du jeune scribe et allèrent rejoindre les rangs des emperators. Il y eut des rixes. Des chauveyas, dont la présence ne plaisait pas à certains scorpions géants plus acrimonieux que les autres, ne survécurent pas longtemps. On entendit les pinces des emperators claquer.

C'est ce moment que choisit Zipacnà pour allonger une de ses jambes et se relever. Il tenta de bouger ses bras, mais des branches l'en empêchaient dont il se débarrassa lentement. Puis il posa les mains sur sa tête.

– Ohhh, fit-il.

Il se releva et regarda autour de lui.

– Que s'est-il passé ?

– Pendant que tu faisais une sieste, gros bêta, l'admonesta Pak'Zil, il a fallu que je me débrouille seul pour tenir le ciel. Tu sais à quel point c'est lourd, cette chose ? Et regarde qui est venu nous visiter ? Tu crois que c'est pour nous aider ? Hein ? Qu'en penses-tu? Viens prendre la relève immédiatement.

Zipacnà, en titubant, se dirigea vers Pak'Zil. Il buta sur le tronc de l'Arbre cosmique et tomba face contre terre.

– Ne me dis pas que tu vas en profiter pour dormir encore, dit Pak'Zil. Ma patience a des limites.

Zipacnà se remit debout de peine et de misère, leva les bras et prit enfin la place de Pak'Zil.

– Ah ! fit le scribe en laissant tomber ses bras. Je crois que c'est le plus beau moment de ma vie !

Il a dû avoir une vie misérable, pensa Yaloum en observant toutes les créatures de

Xibalbà qui n'attendaient qu'un signal pour les anéantir.

– Il s'en vient, fit Tuzumab.

– Encore ? fit Pak'Zil. Il n'y a plus de place pour personne, ici !

Un sourd grondement se fit entendre et la terre se mit à trembler.

– Oh ! Oh ! fit Zipacnà.

– Je ne veux pas savoir ce qui se passe ! s'écria Pak'Zil, en se bouchant les yeux.

Il s'assit sur le sol, posa les mains sur ses oreilles et commença à chanter.

– Que se passe-t-il ? demanda Yaloum.

– C'est mon frère, fit le géant à la tête d'alligator.

Il n'avait pas tort. À l'horizon, une tête de tortue géante apparut. Chaque pas de Cabracàn faisait trembler le sol. Pak'Zil retira ses mains et écarquilla les yeux.

– Oh, non. Pas lui. Je ne retourne pas en bas, moi !

Il se releva, chercha un moyen de s'enfuir, mais n'en trouva aucun. Il comprit alors le funeste de la situation. Tous ces êtres du Monde inférieur n'étaient pas venus leur rendre une visite de courtoisie, ils étaient là pour les tuer. Les mains de Pak'Zil se mirent à trembler. La dernière chose qu'il voulait était de mourir et de retourner dans le Monde inférieur. Il en avait eu un aperçu et ça lui avait enlevé tout goût de trépasser.

Cabracàn fit son apparition. Il mit des mains sur ses hanches et attendit les ordres de Cama Zotz.

Le jeune scribe approcha de Zipacnà et lui dit :

– Au fond, je préférais ma position d'avant. Laisse-moi tenir le ciel. Je crois que tu as certains trucs à régler avec ton frère, non ?

Zotz montra du doigt Pak'Zil et Zipacnà et dit au dieu des Tremblements de terre :

– Tue-les !

Cabracàn prit Zipacnà pour cible. S'il arrivait à lui faire perdre l'équilibre, le ciel n'allait plus avoir de soutien et ce serait la fin de la Quatrième création.

Pak'Zil, voyant dans quelle direction s'orientait le dieu des Tremblements de terre, décida de s'interposer. Avec son épaule, il le plaqua au sol. Cabracàn, le souffle coupé, dut attendre quelques instants avant de retrouver sa contenance. Pak'Zil recula, craignant la contre-attaque.

– Laisse-moi le ciel, dit-il, et occupe-toi de la tortue.

Zipacnà ne protesta pas. Il était encore étourdi et n'arrivait pas à saisir ce qui se passait. Il fit quelques pas jusqu'à ce que Pak'Zil l'arrête :

– Il est de l'autre côté, gros bêta.

Zipacnà se retourna. Apercevant son frère toujours sur le sol, il alla le rejoindre. Il parvint à le soulever au bout de ses bras et le lança loin dans la forêt. Lorsque Cabracàn atterrit, le sol vibra.

– En voilà assez! cria Zotz. Et aux chauveyas et aux emperators il cria :

– Attaquez-les!

Les emperators obéirent tandis que les chauveyas s'envolèrent. Les plus rapides des chauves-souris atteignirent Pak'Zil et entreprirent de le mordre. Zipacnà ne fut pas en reste.

Tuzumab prit alors la main de Yaloum pour la mener vers Pak'Zil et Zipacnà.

– Que faites-vous ? lui demanda-t-elle.

– Je vois... dit-il, une muraille qui nous protège.

Yaloum aperçut alors les emperators et les chauveyas qui se heurtaient contre une barrière invisible. Un cercle de protection s'était formé autour de Pak'Zil, de Zipacnà, de Yaloum et de Tuzumab. Cama Zotz, parce qu'il était issu du Monde inférieur, avait vu ce qui s'était produit : en un instant, une forteresse de pierres était apparue autour de ses ennemis, que ses soldats n'arriveraient pas à franchir.

Furieux, il s'envola et tenta lui-même de la percer. Mais elle était bien réelle, construite de vraies pierres et apparemment indestructible.

Yaloum écarquillait les yeux d'étonnement. Elle pouvait voir les chauveyas et les emperators foncer sur eux, se heurter violemment contre une paroi invisible et s'écrouler.

– Que se passe-t-il ? Pourquoi ne peuvent-ils pas nous atteindre ?

Pak'Zil, qui avait fermé les yeux pour ne pas assister à ce carnage, les rouvrit.

– Qu'attendent-ils donc ? Ouch !

Un chauveyas venait de le mordre.

– Il ne manquerait plus que je devienne un chauveyas !

– Il te faudrait des milliers de morsures, fit Tuzumab. Tu n'en as eu que douze.

Zipacnà parvint à se débarrasser de la demi-douzaine de chauveyas qui importunaient Pak'Zil.

– J'ai imaginé une protection, fit Tuzumab.

Il désigna, avec son doigt, les emperators et les chauveyas.

– Parce qu'ils viennent du Monde inférieur, elle est réelle pour eux.

– Brillant, fit Pak'Zil. Est-ce que tu ne pourrais pas nous imaginer loin d'ici à présent ?

Zipacnà s'assit par terre et se frotta le dessus de la tête.

– Je ne me sens pas bien.

– Tu n'es pas le seul, dit Pak'Zil. Maintenant ? Qu'est-ce qui se passe ?

Cabracàn revint en claudiquant. Il échangea quelques paroles avec le dieu Chauve-souris, Cama Zotz. Puis, il tenta de démolir la muraille, distribuant des coups inutiles.

– Je me demande bien quel ciment vous avez utilisé, poursuivit Pak'Zil.

– Ce n'est pas le moment, fit Yaloum. Nous devons trouver une manière de…

Un chauveyas, que personne n'avait remarqué, surgit et chargea en direction de Yaloum. Au dernier instant, elle dégaina son couteau d'obsidienne et le pointa dans sa direction. Il battit des ailes et parvint à retraiter avant d'être piqué.

– Pak'Zil ! cria Yaloum.

Le jeune scribe voulut écraser la chauve-souris géante sous son pied, mais elle volait au-dessus de Tuzumab et de Yaloum. Il parvint à l'attraper avec sa main, elle le mordit et le scribe la relâcha.

Le chauveyas atterrit sur Yaloum, qui échappa son couteau. C'est Tuzumab qui le ramassa et passa à l'attaque. Le soldat de Xibalbà était au-dessus de Yaloum et tentait de la mordre. Tuzumab lui planta le couteau dans l'épaule. Il tenta de le retirer, mais la lame se cassa et le manche du couteau lui resta dans la main.

Le chauveyas posa sa patte palmée sur son épaule, se retourna et lança un regard chargé de haine à Tuzumab. Dans ce genre de situation, le père de Pakkal aurait utilisé son don pour se protéger. Mais il ne le pouvait pas parce que du même coup, il aurait fait disparaître la muraille qui les protégeait.

Le chauveyas bondit en direction de Tuzumab, qui ne parvint pas à l'éviter. La bête planta ses crocs dans son avant-bras et lui fit lâcher prise. Tuzumab enfonça un index dans l'un de ses yeux. Le chauveyas lâcha sa prise et s'envola. Pak'Zil ne rata pas sa chance et l'écrasa entre ses mains comme on fait avec un moustique, en y mettant un peu trop de vigueur. Lorsqu'il desserra les mains, il y avait dans chacune de ses paumes une tache gluante et verdâtre.

– Dégoûtant !

Il essuya les restes du chauveyas sur le tronc de l'Arbre cosmique.

Tuzumab avait été mordu profondément. Les dents du chauveyas avaient atteint l'os de son avant-bras et la blessure le faisait souffrir. Il se sentait comme si on l'avait brûlé avec un tisonnier chauffé à blanc. Malgré la douleur, il s'efforça de demeurer impassible.

Yaloum s'approcha de lui.

– Est-ce qu'il vous a blessé ?

– Non, enfin, je ne crois pas, fit Tuzumab, qui tentait de cacher sa plaie.

– Montrez-moi.

– Ce n'est rien, ça va aller.

Yaloum prit son bras et l'examina. La blessure était vilaine.

– Il vous a mordu ?

Tuzumab opina du chef.

Il y eut un échange de regard entre les deux. Ils savaient ce que cette morsure signifiait. S'il ne buvait pas maintenant de la sève de l'Arbre cosmique, il allait bientôt se transformer en chauveyas.

Tuzumab eut un étourdissement, qui fut suivi d'un mal de tête carabiné. C'était comme si on venait de lui planter une lame de couteau d'obsidienne en plein milieu du front. Yaloum l'aida à se coucher sur le sol.

La transformation s'opérait lentement, mais sûrement.

Cabracàn continuait à donner des coups dans la muraille. Sa ténacité le paya enfin, il réussit à la percer. Au fur et à mesure que Tuzumab se transformait en chauve-souris géante, son pouvoir diminuait.

– Je sens que nous allons avoir de la compagnie, dit Zipacnà.

••

Pakkal gardait de lancinants souvenirs de sa confrontation avec Boox. Il admettait qu'il n'avait pas eu le dessus sur lui. Heureusement que son adversaire était subitement disparu, c'était le seul point positif de ce combat : son issue. D'ailleurs, Pakkal savait pourquoi Yaloum, au même moment, n'avait plus entendu les sak nik nahal, ce qui était un fait rarissime : ils avaient tous été conviés au mariage de la princesse Laya et du chef des Gouverneurs.

Itzamnà expliqua ceci au prince : pour que le mariage soit officiel, tous les sak nik nahal du Monde intermédiaire devaient y assister. Ils ne s'y rendaient pas de gaieté de cœur. Ils y avaient été contraints, aspirés par le crâne de Boox alors qu'il était un Maya. Ce crâne momifié, Ah Puch le gardait précieusement dans le cas où Boox et ses sak nik nahal décideraient de se révolter et deviendraient une menace. Le chef des Gouverneurs et Ah Puch entretenaient une relation de haine. C'était le dieu de la Mort qui avait obligé Boox à errer dans le Monde intermédiaire sans jamais connaître la paix.

Boox était un psychopathe qui se targuait d'avoir assassiné l'équivalent d'une cité entière. Il s'était donné pour mission d'avoir la peau de Ah Puch et de le remplacer à la tête de Xibalbà. Il agissait toujours seul et il croyait dur comme fer que c'était un défi facile à relever. Après quelques subterfuges, il était parvenu à affronter Ah Puch. Or, Ah Puch, au courant de ses manigances, lui avait fait payer son audace et sa naïveté. En plus de lui trancher la tête, il l'avait condamné à déambuler sans but dans le Monde intermédiaire. Boox avait donc été le premier sak nik nahal. Et le lieu intangible où il circulait était devenu un refuge pour toutes les âmes errantes et torturées.

Pour une large majorité de ces êtres en perdition qu'étaient les sak nik nahal, le mariage de la princesse Laya représentait une chance en or de se sortir de leur enfer. Les sak nik nahal étaient malheureux. Ils étaient à la recherche d'une existence meilleure que celle qu'ils connaissaient, principalement constituée de frustrations et de douleurs dont les origines étaient mystérieuses. Mais il y avait un espoir : la possibilité qu'un jour une femme aux cheveux d'or épouse le plus puissant des sak nik nahal. Puis il allait aspirer tous ses congénères qu'il allait transférer dans le corps de sa jeune épouse. Elle allait les accoucher de nouveau pour créer les êtres qui habiteraient la Cinquième création. Cette légende, tous la connaissaient, elle était leur seul espoir de salut.

Depuis des centaines d'années, toutes sortes de rumeurs avaient couru. Certains sak nik nahal affirmaient avoir croisé une femme aux cheveux jaunes. Mais il y avait bien des fous parmi la population et après un court moment d'effervescence, comme il n'y avait pas eu de suite, la triste réalité avait repris le dessus.

Or, depuis quelques années, les rumeurs s'étaient amplifiées suffisamment pour qu'elles arrivent aux oreilles de Boox, le chef des Gouverneurs. Une jeune fille d'une grande beauté aux remarquables cheveux d'or, voyageant de cité en cité en raison du métier de son père, marchand de jade, aurait été aperçue à plusieurs reprises. Hélas, n'ayant pas de corps physique, les sak nik nahal ne pouvaient la capturer. Il leur aurait fallu de l'aide.

C'est ainsi que Boox était intervenu afin de conclure une alliance avec Xibalbà. Malgré leurs différends, Ah Puch estimait le chef des Gouverneurs, un être sans foi ni loi qui agissait impulsivement. Exactement le genre de vermine qu'appréciait Ah Puch !

Leur entente était claire : Boox aiderait à saboter la Quatrième création en se mettant au service de Xibalbà en échange de la capture de la jeune fille aux cheveux d'or. Une fois le mariage consommé, les sak nik nahal, après avoir vu le jour de nouveau, allaient recevoir un cheveu d'or leur permettant de reprendre vie une seconde fois. Ils deviendraient alors membres de la Cinquième création tout en faisant du Monde intermédiaire un dixième niveau de Xibalbà. Il ne leur resterait plus ensuite qu'à se débarrasser des « impurs », ces Mayas pas encore morts.

Pakkal était censé arriver avant les célébrations du mariage, avant que Laya embrasse le crâne momifié de Boox. Car ce crâne contenait tous les sak nik nahal qui devaient être libérés au moment du baiser fatidique. Si Pakkal n'intervenait pas avant, il serait trop tard.

– Tout d'abord, dit Itzamnà au prince, tu dois absolument te débarrasser de cette enveloppe de fourrure. Elle t'a été d'un grand secours pour escalader l'Arbre cosmique et elle le sera aussi pour que tu t'approches du campement du Monde inférieur sans te faire remarquer. Mais une fois que tu y auras pénétré, il te faudra retrouver ta forme initiale.

Plus facile à dire qu'à faire ! Comment retrouver l'œuf à la coquille de jade ? Et, surtout, comment éviter un affrontement avec l'aigle ?

– Nous allons t'aider, dit Itzamnà. Lorsque tu retourneras dans le Monde intermédiaire, tu recevras des signes qui te conduiront au nid de l'aigle au bec de jade. Nous te guiderons ensuite vers la cité de Tazumal, où aura lieu le mariage. Tous les enfants ont été kidnappés afin d'être offerts en sacrifice aux nouveaux mariés. Un carnage a eu lieu chez les adultes, mais il reste encore quelques habitant terrés dans la forêt. L'un d'eux pourra t'aider.

Itzamnà pencha la tête, comme s'il entendait quelqu'un lui parler à l'oreille.

– Tu dois secourir tes amis qui sont tout proches de l'Arbre cosmique, lui dit-il. Mais auparavant, puisque Buluc Chabtan n'a pas voulu collaborer, je vais te demander d'offrir un présent de ma part à Ah Puch.

Itzamnà fut secoué de spasmes, puis il cracha un sac en peau de tapir conçu pour être porté au dos.

– Le présent est à l'intérieur. Je te demande de ne pas regarder ce qu'il contient, car cela pourrait te causer de sérieux désagréments.

Pakkal mit le sac sur ses épaules. Il était lourd et bosselé, comme si l'objet qu'il contenait était fait de rondeurs. Pakkal se dit qu'il s'agissait probablement d'une poterie, sans doute un vase ou un encensoir.

– Il est temps pour toi de nous quitter. L'heure est grave. On a besoin de toi plus bas.

Les ancêtres du prince Pakkal défilèrent devant lui et lui souhaitèrent tous bonne chance. Ohl Mat mit la main sur son épaule :

– Tu vas réussir.

Comment en étaient-ils si sûrs ? Est-ce que son destin avait été tracé d'avance ? Ces sages savaient-ils ce qui allait se passer ? Pakkal aurait voulu parler de ses doutes à son grand-père, mais il ne serait sorti de sa bouche que des couinements. Ohl Mat s'aperçut du trouble de son petit-fils : ses yeux ne mentaient pas, même s'ils étaient ceux d'un singe hurleur.

– Tu vas réussir, répéta Ohl Mat.

Mais ce Pakkal entendit fut :

– Tu *dois* réussir.

Il sentit alors le sol se dérober sous ses pieds.

•••

Pak'Zil ne pouvait pas voir la forteresse que l'imagination de Tuzumab avait créée pour les protéger. Cependant, il se rendait compte que Cabracàn, la tortue géante, était en train de la détruire graduellement. En fait, la muraille perdait de sa solidité au fur et à mesure que se détériorait l'état du père de Pakkal.

– Ne pourrions-nous pas discuter ? demanda Pak'Zil. Pourquoi faut-il toujours que les conflits se règlent dans la violence ?

Cabracàn n'avait rien à faire des propos pacifistes du géant.

De son côté, Yaloum était au bord de l'affolement. Des poils sombres avaient commencé à recouvrir le corps de Tuzumab tandis que son nez et sa bouche prenaient lentement la forme d'un museau de chauve-souris. Il fallait trouver immédiatement de la sève d'Arbre cosmique. Or, l'arbre était couché sur le sol et le tronc couvert de lourdes branches. Cela compliquait grandement les choses, d'autant plus qu'elle n'avait rien pour recueillir la sève.

– Comment vous sentez-vous ? demanda-t-elle.

Tuzumab entrouvrit les yeux.

– Ne vous inquiétez pas. Il s'en vient.

– De qui parlez-vous ?

– De Mulac, fit Tuzumab.

« Qui est Mulac ? » se demanda Yaloum. Tuzumab était-il en train de délirer ?

Cama Zotz se posa sur l'épaule de Cabracàn. Il ordonna aux chauveyas de s'envoler et de survoler la forteresse. Puis il fit signe aux emperators d'attaquer la tour de protection.

Cabracàn redoubla d'ardeur. Encore quelques coups de poing et quelques coups de pied et il atteindrait ses ennemis. Cama Zotz aurait pu aisément demander aux chauveyas de pénétrer dans la forteresse et de tuer tous ceux qui n'étaient pas issus du Monde inférieur. Mais il préférait le faire lui-même. Il en avait marre de « travailler » avec des énergumènes pour qui rien ne fonctionnait jamais comme prévu. Tout était toujours compliqué avec eux. Il voulait être celui qui allait avoir le privilège de les voir mourir. Il voulait être celui qui allait mettre fin à la Quatrième création.

Il visa tout d'abord le géant balourd qui semblait avoir peur de son ombre. Une fois qu'il en aurait fini avec lui, il allait se débarrasser des deux Mayas, puis de Zipacnà. Il allait lui faire payer chèrement sa trahison.

Alors qu'il allait s'envoler et commencer son carnage, il fut happé par un objet qui tombait du ciel. Il chuta jusqu'au sol, où le choc fut amorti par des emperators. Il lui fallut quelques instants pour comprendre ce qui venait de se produire, puis il se releva.

Il regarda Cabracàn. Celui-ci avait cessé de s'attaquer à la forteresse, il reculait de quelques pas en tentant de dégager sa vue avec ses pattes. Zotz s'envola et, en se posant sur l'épaule du dieu des Tremblements de terre, il se rendit compte que celui qui lui donnait tout ce mal n'était rien d'autre qu'un singe hurleur.

Zotz s'envola une autre fois pour venir en aide à Cabracàn. Dès qu'il se posa sur le nez du singe hurleur, lequel portait des habits qui lui étaient étrangement familiers, il se mit en position d'affrontement. Ce n'est qu'à ce moment qu'il aperçut à sa ceinture un glyphe signifiant « bouclier ». Il ne connaissait qu'un bouclier et c'était Pakkal.

Il sauta sur le dos du singe et l'agrippa. Puis il le lança le plus loin qu'il put. Mais Pakkal parvint à s'accrocher à un des bijoux que portait Cabracàn, ce qui lui évita une chute qui se serait terminée sur les emperators. Le dieu Chauve-souris fit battre ses ailes et alla rejoindre Pakkal dans l'intention de lui faire échapper sa prise. Mais alors qu'il s'approchait de lui, le singe hurleur bondit dans sa direction et réussit à grimper sur son dos. Puis, il entreprit de lui asséner des coups de poing. Zotz essaya de voler et d'attraper le singe pour lui faire payer sa hardiesse. Toutefois, constatant qu'il n'allait pas arriver à se débarrasser de son parasite volant, il cessa de combattre. Il se laissa tomber en vrille et au dernier instant, déplia ses ailes et reprit de l'altitude. Ce brusque changement de direction fit basculer le prince qui roula sur le sol. Zotz atterrit en avant de lui et lui dit :

– Laisse-moi te donner une leçon avant que je m'occupe des autres.

Il s'avança vers le prince, leva la tête et s'arrêta net. Il fit quelques pas à reculons et retraita.

Cabracàn avait du mal à voir distinctement. Pakkal l'avait blessé en le mordant et en le griffant aux paupières et il les frottait avec ardeur. Alors qu'il s'était retourné pour continuer son œuvre de destruction, il fut interrompu par Cama Zotz.

– Repli immédiat ! cria-t-il. Immédiat !

Il y eut beaucoup de confusion au sein de ses troupes. Certains emperators avaient compris l'ordre, tandis que d'autres poursuivaient leur œuvre de destruction. Les chauveyas volaient dans toutes les directions et plusieurs, complètement désorganisés, entraient en collision avec leurs semblables.

La main sur un œil, Cabracàn demanda à Zotz :

– Que se passe-t-il ?

– Repli immédiat ! fut la réponse de Cama Zotz.

– Il n'en est pas question, fit Cabracàn.

Alors qu'il allait s'élancer contre la forteresse, on lui empoigna l'avant-bras avec une telle vigueur qu'il en fut paralysé. Qui pouvait être doté d'une force aussi grande ? Son frère, Zipacnà, était occupé à maintenir le ciel en place alors que le Maya géant, blême d'effroi, était assis sur les fesses, les jambes collées sur la poitrine, la tête penchée, les yeux fermés et les mains appliquées sur les oreilles. Qui donc avait autant de force ?

En détournant la tête, Cabracàn obtint aussitôt la réponse. Et il comprit pourquoi Zotz avait ordonné à tous de retraiter. Celui qui lui tenait le bras était un être beaucoup plus grand que le dieu des Tremblements de terre. Il avait une tête de jaguar noir et le corps d'un Maya. Il se déplaçait à quatre pattes, parce que s'il s'était tenu debout, sa tête aurait touché le ciel.

C'était un des bacabs, fils d'Itzamnà, dont la tâche consistait à tenir le ciel à bout de bras. Il s'appelait Mulac. Et le bras de Cabracàn était en ce moment entre son pouce et son index.

Cabracàn tenta de fuir, mais le bacab le tenait fermement.

– Première fois qu'on se rencontre, dit Mulac. Enchanté de faire ta connaissance, Tortue.

Cabracàn lui mordit un bout de doigt. Son adversaire n'eut aucune réaction.

– C'est de cette façon que tu penses t'en sortir ? demanda le bacab.

Il ouvrit alors la gueule, montrant ses canines d'une blancheur immaculée. Elles étaient pointues et aussi longues que celles du dieu des Tremblements de terre.

Cabracàn, redoutant le pire, fit disparaître sa tête dans sa coquille.

••••

La gueule grande ouverte, les dents acérées prêtes à gober Cabracàn, Mulac émit un rugissement d'une telle force que le dieu malveillant en fut soufflé. Il vola dans les airs et atterrit à des lieues.

Certains emperators et chauveyas avaient compris la consigne de leur chef. D'autres, au contraire, se mirent à attaquer le bacab. Un seul autre cri de sa part fut nécessaire pour se débarrasser des soldats de Xibalbà.

Mulac s'approcha ensuite du tronc de l'Arbre cosmique et le redressa, comme s'il s'agissait d'une brindille, afin qu'il serve d'appui au ciel. Il y eut un craquement, mais le tronc était maintenant perpendiculaire au sol.

Zipacnà put abandonner son poste.

– C'est terminé, dit-il à Pak'Zil, qui, les yeux fermés et les mains sur les oreilles, n'avait rien vu ou entendu de ce qui s'était passé.

Le scribe ne répondit pas. Zipacnà lui tapota l'épaule.

– C'est fini, dit-il une autre fois.

Pak'Zil retira ses mains de ses oreilles.

– Je suis donc enfin mort ?

– Mort de trouille, peut-être, fit Mulac.

Pak'Zil leva la tête. L'être devant lui était tellement grand qu'il se demanda s'il n'avait pas lui-même rapetissé. Il se tourna vers Yaloum et Tuzumab.

Le corps du père de Pakkal était entièrement recouvert de poils et sa respiration était rauque.

– De la sève d'Arbre cosmique ! Il nous en faut immédiatement !

Mulac tendit le bras, arracha une grosse branche et la tordit au-dessus des mains de Yaloum. De la sève s'en écoula qu'elle versa aussitôt sur les lèvres de Tuzumab. L'effet fut spectaculaire : en quelques minutes, le père de Pakkal reprit sa forme originelle. Toutefois, il demeurait encore inconscient, ce qui inquiéta Yaloum. Mais bientôt, Tuzumab ouvrit les yeux et esquissa un sourire.

Mulac se mit à genoux et le regarda.

– Tu vas t'en sortir, mon ami, dit-il. Je suis content de te revoir.

– Merci d'être venu, dit Tuzumab.

– Tout le plaisir est pour moi.

Il se releva et regarda Pak'Zil.

– Je dois retourner à mon poste. Cependant, l'Arbre cosmique est dans un piteux état, il ne pourra pas rester dans cette position très longtemps. Vous devez trouver une graine qui se transformera en un nouvel Arbre cosmique, lequel pourra maintenir le ciel de manière durable.

Pak'Zil leva les mains.

– J'ai assez donné. Moi, je rentre à la maison. Tout ce que je veux, c'est redevenir qui j'étais. Je veux retrouver mon hamac et me réveiller lorsque tout cela sera terminé. Dire que mon père était heureux que je devienne scribe parce qu'il prétendait que c'était un métier sécuritaire. Et que les seules péripéties auxquelles j'aurais à faire face au cours de ma vie seraient de manquer d'encre une fois de temps en temps.

Pak'Zil se rendit compte que ses doléances étaient déplacées, compte tenu des circonstances.

– Je ne suis pas fait pour les aventures, conclut-il. Désolé, fallait que je le dise.

– Cette graine, où peut-on la trouver? demanda Yaloum.

– Je l'ignore, dit Mulac.

– Évidemment, murmura Pak'Zil en levant les yeux au ciel.

– Tu as fini de te plaindre ? demanda le bacab.

– Non, fit Pak'Zil, mais je ferais mieux de continuer dans ma tête.

Tuzumab se redressa à l'aide de ses mains. Instinctivement, il savait où trouver la graine.

– Je sais qui la possède, murmura-t-il. Et je sais où la trouver.

– C'est loin d'ici ?

Tuzumab ferma les yeux.

– Difficile à dire. Je vois une femme qui vit seule dans la forêt. Elle est vieille, c'est une ancienne sak nik nahal qui, à l'aide du Ooken, est parvenue à retrouver son corps et à réintégrer le Monde intermédiaire. Pour y parvenir, le Ooken lui a remis une graine, qu'elle a introduite dans sa bouche. C'est cette semence qu'il nous faut trouver.

– Alors, on prend la graine, on la met en terre et le tour est joué ? demanda Yaloum.

– Non, fit Tuzumab.

– Je savais bien que ce ne serait pas si simple, dit Pak'Zil.

Mulac lui lança un regard intimidant.

– Excusez-moi, je vais continuer dans ma tête.

– Il faut le planter ici, poursuivit Tuzumab, au milieu du Monde intermédiaire. Mais pour qu'un arbre atteigne cette taille, il lui faut plus de deux cents ans. Il faudra donc l'aider un peu.

– Le bulbutik, ajouta Mulac.

– Effectivement, dit le père de Pakkal. Il en faudra pour faire pousser l'Arbre cosmique rapidement.

Pak'Zil les coupa :

– Je me permets d'interrompre ma passionnante conversation avec moi-même pour vous indiquer que jusqu'à preuve du contraire, le bulbutik n'existe pas. Ce n'est qu'une légende que les gens en manque d'attention racontent afin d'impressionner leurs semblables.

– Pour bien des gens, dit le bacab, je n'existe pas et je ne suis qu'une légende.

Yaloum demanda :

– Je n'ai jamais entendu parler du bulbutik. Qu'est-ce que c'est ?

Tuzumab répondit :

– Il s'agit d'une eau que l'on trouve uniquement sur Chak Ek'[1]. Elle aurait plusieurs propriétés, dont celle de faire pousser les végétaux à une vitesse accélérée. Cependant, si un Maya en boit, son corps se déshydrate et devient aussi sec qu'une momie.

Yaloum leva la tête vers le ciel :

– Si je comprends bien, quelqu'un est déjà allé sur la planète Chak Ek' et en a rapporté du bulbutik ?

– Ce n'est qu'une légende, fit Pak'Zil, qui voulait éviter à tout prix de s'embarquer dans une nouvelle aventure. C'est ridicule. Pensez-y, comment quelqu'un peut-il s'être rendu là-bas ?

Tuzumab regarda Pak'Zil :

– Qui a dit que quelqu'un s'était rendu là-bas ? Pourquoi ne serait-ce pas plutôt quelqu'un de là-bas qui serait venu jusqu'ici ?

[1] Planète Vénus

═

Après avoir croisé le bacab, Pakkal se dit que ses camarades n'avaient plus besoin de lui et qu'ils étaient entre bonnes mains. Il lui fallait partir immédiatement en direction de Tazumal pour empêcher le mariage de Laya avec le chef des Gouverneurs.

Ce fut une décision facile à prendre, car le prince avait honte de sa condition de singe hurleur. S'il appréciait la dextérité que lui conférait cette condition pour entrer plus facilement dans la ville, il se serait bien passé d'en avoir l'aspect. Pakkal craignait plus que tout au monde de ne plus redevenir celui qu'il avait été. Avait-on déjà vu un singe occuper la plus haute fonction hiérarchique d'une cité aussi puissante et grandiose que Palenque ? La réponse était évidente. Il lui fallait coûte que coûte retrouver l'œuf à la coquille de jade, et vite.

Il se remit en route, mais remarqua que ce n'était pas chose facile puisqu'il n'arrivait pas à tenir son dos droit et à avancer sur ses jambes. En fait, c'était beaucoup plus facile pour lui de marcher avec ses mains. Tous les efforts qu'il faisait pour ne pas avoir l'air d'un singe étaient voués à l'échec. Il aurait besoin de sa mygale, à n'en pas douter, il fallait la trouver.

Las de déambuler aussi maladroitement, il se résolut à se balancer de branche en branche, le moyen le plus efficace pour un singe de se déplacer. Et avec quelle adresse ! Il faisait des sauts que même les Mayas les plus athlétiques auraient pu lui envier.

Cependant, il n'arrivait pas à retrouver sa mygale. Il se rappelait l'avoir laissée dans un endroit ravagé par les rayons bleus du soleil. La vie avait maintenant repris ses droits et plus rien n'était comme avant.

« C'est navrant, se dit le prince. Je dois me rendre à Tazumal pour empêcher Boox d'épouser Laya, et je n'arrive même pas à retrouver ma mygale. »

– Hé ! Toi !

Pakkal se retourna, on venait de le héler. Il chercha d'où pouvait venir la voix, regarda autour de lui, ne vit personne.

– Hé, oh ! Je suis ici !

Riait-on de lui ? Il n'arrivait pas à voir celui qui lui parlait !

– Tu ne regardes jamais vers le haut ? lui demanda la voix.

Cette fois, Pakkal vit à qui il avait affaire. C'était un singe hurleur comme lui. Assis quelques mètres plus haut, en équilibre sur une branche, il tenait une ramure qu'il mâchouillait.

– Cherches-tu le lapin qui porte des bois ?

– Non.

– Moi, je le cherche.

Pakkal n'avait pas le temps d'entamer une conversation. Mais il n'avait jamais entendu parler d'un lapin de ce genre.

– Les lapins ne portent pas de bois, dit le prince. Ce sont les cerfs qui en ont.

– Je connais un lapin qui porte des bois et je dois le retrouver.

« Ce n'est pas assis sur une branche à se curer les canines qu'il va le retrouver », se dit le prince.

– Bonne fin de journée, dit-il, cette fois à haute voix.

Il avança de quelques mètres en s'élançant de branche en branche, jusqu'à ce qu'il s'arrête. Le singe était encore là, toujours assis sur un arbre. Cette fois, il léchait une feuille avec application.

– Les vêtements que tu portes, où les as-tu volés ? J'aimerais en avoir de semblables.

– Je ne les ai pas volés, répondit le prince, irrité. Ils sont à moi.

– À quelle tribu appartiens-tu ?

– Je n'ai pas le temps de discuter avec vous, dit le prince. Je suis pressé, je dois retrouver Loraz, ma mygale.

– Tu es étrange, dit le singe.

Pakkal s'en alla. Même s'il avait compté une vingtaine d'arbres, il avait l'impression d'avoir tourné en rond.

– Je veux essayer tes vêtements.

Le singe hurleur l'avait suivi ! Il s'amusait à glisser une branche dans son oreille et à la suçoter ensuite.

– Arrêtez de me suivre, dit Pakkal. Vous m'énervez.

– Toi aussi tu as été chassé de ta tribu ?

– Non. Je suis Kinnich' Janaab Pakkal, prince de Palenque.

– Tu as un nom ? Et Palenque ? Qu'est-ce que c'est ? Un îlot d'arbres ?

– Non. C'est une cité.

– Une cité avec des amoncellements de pierres et des êtres bizarres qui se déguisent ?

– Oui. J'ai été transformé en singe hurleur. Je cherche ma mygale géante.

– Une mygale géante ? J'en ai vu une.

– Vraiment ? Où l'as-tu vue ?

Pakkal était tout ouïe. Le singe leva un bras, nonchalamment, sans regarder dans la direction qu'il pointait.

– Là-bas.

– Vous pouvez m'accompagner ?

– Pourquoi ?

– Parce que je veux la retrouver !

Le singe jeta la brindille qui lui avait servi de cure-oreilles et dit :

– Suis-moi.

Même s'il donnait l'impression d'être fainéant, le singe était d'une habileté et d'une rapidité hors du commun quand il s'agissait de se déplacer dans les arbres. Pakkal avait peine à le suivre.

Lorsque le singe s'arrêta, Pakkal fut étonné de constater qu'il avait dit vrai : c'était bien à cet endroit qu'il avait laissé Loraz. Le problème, c'est qu'il n'y avait plus aucune trace de la mygale géante, à part la corde qui avait servi à l'attacher, qui gisait sur le sol. Pakkal la prit dans ses mains.

– La mygale n'y est plus, constata le prince.

– Je sais, dit le singe. Tu m'as demandé où j'ai vu la mygale. Faudrait que tu sois plus clair.

– La mygale, s'impatienta le prince. Où est-elle ? Qui l'a détachée ?

– C'est moi.

– Pourquoi ?

– Pour me faire pardonner. Ça n'a pas fonctionné, et il a gardé la mygale quand même. Il voulait le lapin aux bois, je croyais qu'une mygale géante allait l'impressionner davantage.

Pakkal ne voulait rien savoir de l'histoire du singe. Tout ce qu'il désirait, c'était de retrouver Loraz.

– Je veux récupérer ma mygale.

– Tu ne pourras pas.

– Pourquoi ?

– Il ne voudra pas.

⩧

Mulac, qui était chargé de tenir le coin nord du ciel, abandonna les membres de l'Armée des dons pour retourner à sa tâche. Temporairement, un des bacabs pouvait quitter son poste, mais cela ajoutait du travail aux autres. À quatre, soutenir le ciel était une tâche ardue. Lorsqu'un bacab devait s'absenter, les efforts que les trois autres devaient consacrer à cette tâche étaient considérables.

Avant de partir, Mulac s'assura que l'Arbre cosmique était bien en place.

– Il faudra vous dépêcher, dit-il.

– C'est ce que nous allons faire, dit Tuzumab.

Le bacab salua son ami Tuzumab, puis partit. Il y eut un instant de silence, puis Pak'Zil demanda :

– Alors ? Que faites-vous ?

– Ce que *nous* faisons ? demanda Yaloum. Tu es avec nous, n'est-ce pas ? Aux dernières nouvelles, ta vie était aussi menacée que la nôtre parce que tu fais partie de la Quatrième création.

Tuzumab ne laissa pas la chance à Pak'Zil de répliquer.

– Peut-être vaudrait-il mieux nous séparer. Un groupe se mettra à la recherche de la graine qui sera le prochain Arbre cosmique tandis que l'autre se mettra en quête du bulbutik ?

Yaloum fit un clin d'œil au père de Pakkal :

– C'est vous qui avez la connaissance infuse.

Pak'Zil se faufila dans la conversation.

– Le bulbutik n'existe pas, insista-t-il. C'est une arnaque.

Beaucoup d'aventuriers étaient revenus bredouilles ou étaient morts après avoir tenté de retrouver cette eau miraculeuse. L'idée qu'elle provienne d'une autre planète que celle où vivaient les Mayas était un sacrilège pour Pak'Zil. Il le dit aux autres.

– Parfois, répliqua Tuzumab, on doit savoir ouvrir son esprit.

– J'ai une formation de scribe, dit Pak'Zil. J'ai l'esprit si ouvert que n'importe qui peut y faire une visite, c'est ouvert jour et nuit. Mais cette histoire de bulbutik, je refuse d'y croire.

Et pourtant... Et pourtant, des récits étaient venus à ses oreilles. Récits invraisemblables, il va sans dire. Si on voulait obtenir de cette eau, il fallait montrer qu'on la méritait. Pour ce faire, il fallait en avaler une petite quantité. S'il ne se passait rien, on pouvait conserver le bulbutik. Si le corps se déshydratait, il était immédiatement momifié après une mort rapide et spectaculaire. Personne n'avait jamais su ce qu'il fallait posséder pour ne pas en mourir.

Lorsque Pak'Zil était enfant, Zolok, son père, lui avait parlé de son plus vieux souvenir, l'image d'un Maya momifié. Il s'agissait d'un agriculteur qui, las de cultiver des champs infertiles, était parti à la recherche de ce nectar qui avait la réputation de transformer, presque instantanément, le sol le plus poussiéreux en un champ verdoyant.

Ce qui dérangeait profondément Pak'Zil, c'est que cette légende mettait en péril le concept fondateur de la religion maya. Si cette eau prétendument miraculeuse provenait réellement de Chak Ek', cela signifiait qu'il n'y avait pas seulement trois mondes, comme on le lui avait appris, mais un de plus. Et cela remettait en question tous les enseignements transmis depuis des centaines d'années. Croire qu'il y avait une autre dimension que celles qu'il connaissait était un blasphème. Pour expliquer à son père la présence d'un corps momifié, on avait prétendu que ce n'était qu'un attrape-nigaud inventé par des personnes en manque de sensations fortes.

Or, voilà que des années plus tard, cette histoire de bulbutik réapparaissait. Et qu'elle aurait un rôle à jouer dans la sauvegarde du Monde intermédiaire ! Ridicule, se dit le jeune scribe.

– Je crois que nous ne devrions pas nous séparer, dit Yaloum. Nous ne serons pas trop de quatre pour parvenir à nos fins.

– Ne comptez pas sur moi, dit Pak'Zil. Je retourne à la maison, dans mon Toninà adoré. J'ai eu ma leçon : je ne suis pas fait pour ce genre d'aventures.

– C'est trop dangereux, dit Yaloum.

– Plus dangereux que ce que j'ai rencontré en bas ? C'est impossible !

Yaloum n'insista pas. Elle aurait préféré qu'il les accompagne, ne serait-ce que parce qu'il était un géant et que ses pas étaient longs. Mais à quoi bon lui demander de rester si le cœur n'y était plus ? D'ailleurs, elle en avait assez de l'entendre se plaindre. Zipacnà, le géant à la tête d'alligator, ne semblait peut-être pas très futé, mais il compensait par une force incroyable.

Pak'Zil fit ses adieux à Zipacnà et souhaita bonne chance à Yaloum et à Tuzumab. Puis, il regarda le soleil et, après quelques hésitations, emprunta la route devant lui.

Tuzumab regarda Yaloum en haussant les épaules.

– Il ne se rendra jamais à Toninà, dit-il.

Yaloum regardait Pak'Zil s'éloigner.

– Pourquoi dites-vous cela ?

– Je ne sais pas. Je le sens.

Tuzumab avait toujours l'impression que sa mémoire était trop pleine. Dès qu'il regardait un objet, la robe que Yaloum portait, par exemple, son esprit se remplissait d'une multitude de détails superflus : comment l'animal avait été tué (une flèche), qui l'avait chassé (son conjoint décédé), le temps qu'il avait fallu à Yaloum pour tanner le cuir, l'endroit où elle avait fait ce travail, combien de temps il lui avait fallu, et ainsi de suite. Un simple accroc à un vêtement lui fournissait toutes sortes d'informations sur ce qui l'avait provoqué. C'était à la fois fascinant et encombrant.

Pour chasser ses pensées importunes, Tuzumab fit un signe à Yaloum, qui sauta sur sa sauterelle géante tandis que lui-même s'installait sur l'épaule de Zipacnà. Ils se mirent en route, en quête de la graine qui allait devenir le nouvel Arbre cosmique.

Le père de Pakkal savait qu'une seule personne avait eu cette semence en sa possession, une femme qui était parvenue à se sortir des griffes de Xibalbà grâce au Ooken. Il s'agissait d'Iwan, qui signifie «iguane» en langue maya. On l'avait appelée ainsi parce que, peu de temps après sa naissance, elle avait contracté une maladie qui avait coloré sa peau d'une teinte verdâtre. Une maladie mystérieuse dont elle avait souffert toute sa vie, sans en connaître la cause. Victime de moqueries incessantes, de la part des adultes autant que des enfants, elle avait tenté de s'enlever la vie en se jetant du haut d'une falaise. Son salut, elle le devait à Ix Tab, déesse du Suicide, qui, en voyant la couleur de sa peau, avait refusé de s'emparer d'elle. La chute d'Iwan l'avait laissée dans un état pitoyable : jambes cassées, côtes fêlées, crâne fracturé. C'est un ours qui avait causé sa mort : attiré par l'odeur du sang qui s'écoulait de ses blessures, il en avait fait son repas. Une fois à Xibalbà, elle avait développé une haine sans nom à l'endroit des gens qui s'étaient moqués d'elle. Après une rencontre avec le Ooken et moult aventures, elle était parvenue à retourner dans le Monde intermédiaire.

Tuzumab s'arrêta, soumis à une autre de ses subites intuitions.

– Pak'Zil, dit-il. Il nous faut le retrouver maintenant.

Pak'Zil n'avait aucune idée de la route à suivre, il ignorait où il allait.

En quittant les membres de l'Armée des dons, il avait voulu donner l'impression qu'il connaissait la route conduisant à Toninà. Il avait observé le soleil, comme un de ses oncles le faisait, et avait choisi un chemin au hasard. Mais à la différence de son oncle, un chasseur émérite qui savait se situer peu importe où il se trouvait, il n'avait aucun sens de l'orientation. Lorsque Pak'Zil lui demandait s'il s'était déjà perdu, l'oncle lui répondait : « Oui, mais chaque fois, le soleil m'est venu en aide. Le soleil, lui, ne se perd jamais. »

Pak'Zil avait fait de même. Il avait observé Hunahpù, attendant un signe quelconque de sa part, pas nécessairement évident, un petit message aurait suffi. Malheureusement, il ne s'était rien produit. Et parce que Pak'Zil refusait de passer pour un imbécile, il était parti sans savoir où il allait.

Il en avait assez de ces périples sans fin qui l'entraînaient invariablement dans toutes sortes de tribulations. L'épisode du ciel qu'il lui avait fallu tenir à bout de bras représentait la goutte qui avait fait déborder le vase. Il n'était pas fait pour les aventures éprouvantes. Bien sûr, il n'était pas lâche, il voulait sincèrement aider les membres de l'Armée des dons. Mais il aurait préféré travailler dans l'ombre. Dès qu'il aurait passé quelques jours à Toninà pour se reposer, il retournerait à Palenque et continuerait le combat. En outre, il était devenu un géant et n'avait nulle envie de finir sa vie dans cet état. Pour l'instant, il était fatigué et voulait rentrer à la maison.

Chacun de ses pas, il en avait l'impression, le conduisait dans la mauvaise direction. Il leva la tête vers le soleil et maugréa :

– Et toi, ne m'aide surtout pas !

Il poursuivit néanmoins sa marche et aperçut un petit village qui ne comptait qu'une vingtaine d'habitations. Il prit soin de ne pas marcher sur les huttes dont il souleva délicatement les toits pour apercevoir des villageois qui auraient pu l'aider à retrouver sa route. Il ne trouva personne. Le village avait été déserté.

Il se pencha au-dessus d'une rivière pour boire. Par bonheur, l'eau était redevenue potable et il put en avaler de pleines rasades pour étancher sa soif.

Alors qu'il allait se redresser, il sentit qu'on lui pinçait une fesse.

– Ouille !

Sa main s'empara du chauveyas qui l'avait mordu.

– J'en ai marre de vous, dit-il avant de presser le soldat de Xibalbà entre ses doigts puissants.

Il laissa retomber sa proie et, pour s'assurer qu'elle était bel et bien morte, il l'écrasa du bout de sa sandale.

– Tu n'as aucun respect, lui souffla-t-il. Tu n'aurais pas dû m'attaquer alors que j'étais dans une position qui me rendait vulnérable. Tu as ce que tu mérites.

Il poursuivit son chemin. Il croisa d'autres chauveyas qu'il parvint à éliminer aisément.

Alors qu'il s'essuyait les mains sur le feuillage d'un arbre, il songea à ce qui allait se passer si une horde de chauveyas l'attaquait. Ou pire, s'il devait faire face à ces scorpions géants qui se déplaçaient sur deux jambes. En quittant ses compagnons de voyage, il n'avait pas songé un seul instant à l'état de vulnérabilité dans lequel la solitude le plongeait. Il se réconforta en songeant qu'il était un géant et que sa force était proportionnelle à sa taille. Il allait falloir une grande quantité de ces bestioles de la mort pour l'arrêter. Sauf… Sauf s'il rencontrait Cabracàn.

Pak'Zil chassa ces idées menaçantes et se concentra sur la route. Il chantonna, siffla, fit des bruits étranges avec sa bouche, tout pour oublier qu'il était seul. Et perdu.

Même s'il essayait de faire le vide dans sa tête, il ne pouvait s'empêcher de regarder constamment derrière lui. Il sentait qu'on le suivait. Il ne semblait pas y avoir de géant dans les environs. Mais qui sait ? Peut-être existait-il une nouvelle race de créatures encore plus dangereuses que celles qu'il avait déjà rencontrées ? Ou bien une bête horrible qui ne ferait de lui qu'une bouchée ?

Alors qu'il posait un pied par terre, il sentit une douleur vive au gros orteil. Il se pencha et vit qu'il venait d'être piqué par un emperator. Il comprit soudain que la taille n'avait rien à voir avec le danger, le venin que cette bestiole venait de lui injecter avait provoqué une grande souffrance.

L'emperator, toujours à ses pieds, fit claquer ses pinces, manifestement prêt à l'attaquer de nouveau.

– Pourquoi m'as-tu fait mal ? demanda Pak'Zil avant de l'écraser de son pouce.

Mauvaise idée : non seulement l'emperator ne mourut pas, mais il en profita pour planter son dard une autre fois dans la chair du scribe.

– Ouch !

En colère, Pak'Zil l'écrasa de nouveau et s'acharna sur lui. Lorsqu'il releva son pied, une substance gluante était collée à sa semelle.

Il se pencha et observa ce qu'il restait de l'indésirable. La chose n'avait plus rien d'un scorpion. « Mission accomplie », se dit Pak'Zil. Il était enfin parvenu à l'éliminer.

Un bruit attira son attention. Il leva la tête :

– Nom d'Itzamnà !

Il vit une horde d'emperators se diriger vers lui. Le scribe prit la fuite dans la direction opposée. Il claudiquait. Il avait du mal à courir parce que la piqûre à l'orteil lui faisait terriblement mal. Chaque fois qu'il posait un pied par terre, la douleur se faisait plus vive. Il dut s'arrêter et examiner sa blessure : son pied avait doublé de volume et il était rouge vif. Son pouce, celui qui avait écrasé l'emperator, n'était pas mieux : il n'arrivait plus à le plier.

Pourtant, il lui faudrait vite reprendre la route s'il voulait devancer ses poursuivants. Avec des cris de douleur, il se releva.

– Salut, Lourdeau !

Pak'Zil se retourna. Sur la cime d'un arbre se trouvait Cama Zotz, le chef des chauveyas.

– Prêt à souffrir, camarade ?

Aussitôt, des centaines de chauveyas s'élevèrent des arbres et foncèrent sur Pak'Zil. Dès qu'ils l'atteignirent, ils plantèrent leurs crocs dans sa chair. Le scribe tenta de se défendre en remuant les mains dans toutes les directions, mais c'était peine perdue.

Pak'Zil tomba à genoux.

Et il pensa à sa mère.

••••

Pakkal avançait en direction de la mygale géante, conduit par le singe hurleur.

– Comment vous appelez-vous ?

Sans s'arrêter, son compagnon répondit :

– Je n'ai pas de nom parce que je n'en mérite pas.

– Tout le monde a un nom, murmura le prince.

– Tu en as un parce que tu es fou. Les singes qui ont toute leur tête savent que le seul moyen d'avoir un nom est de devenir chef d'une tribu.

– Je ne suis pas fou, répliqua Pakkal. Je ne suis pas un singe, je suis un Maya. Je suis un prince.

– Bien sûr, fit le singe. Il n'y a pas un fou qui se dit fou. Qu'est-ce que tu trimballes dans ton sac ?

– Je ne sais pas, dit Pakkal.

Le singe s'arrêta et contempla le sac. Il essaya de l'attraper, mais Pakkal repoussa son bras.

– Que faites-vous ?

– Je veux voir ce qu'il y a dans ton sac.

– On me l'a interdit, dit le prince. C'est un présent que je dois offrir à Ah Puch. Un cadeau d'Itzamnà, père de tous les dieux.

– Tu es plus fou que je ne le croyais, répliqua le singe.

Il essaya une autre fois de mettre la main sur le sac. Pakkal augmenta la cadence, afin de le distancer. Le singe le suivit de près :

– Montre-moi, je ne te dirai pas ce que c'est.

Pakkal repoussa le singe.

– Non, dit-il.

– Ce que tu peux être sérieux pour un fou!

Pakkal le fixa et prit un air menaçant. Son pourchassant ne fit plus de tentative. Il prit les devants et ils poursuivirent leur chemin.

Le singe s'arrêta enfin. Pakkal crut qu'après un effort physique aussi exigeant, il allait avoir les poumons en feu et serait épuisé. Ce ne fut pas le cas. C'est à peine si sa respiration était plus rapide qu'à l'accoutumée.

– Tu devras lui montrer ce qu'il y a dans ton sac s'il te le demande, dit le singe. Il est beaucoup moins tolérant que moi à l'endroit des bizarroïdes comme toi.

– De qui parlez-vous ?

– De mon père. C'est le seul qui a le droit de porter un nom.

Le singe observa les arbres. Puis, il poussa une série de cris et un autre singe apparut. C'était une femelle. Elle approcha et, en regardant craintivement derrière elle, elle demanda :

– Que fais-tu ici ?

– Je suis venu offrir un présent à Père.

– As-tu retrouvé le lapin aux bois ?

– Non. Mais j'ai avec moi un singe qui pourrait intéresser Père. Il dit qu'il est un prince et que la grosse mygale lui appartient. Et il a un nom.

La femelle retroussa les lèvres en observant le prince.

– Père n'aimera pas.

– Tu crois qu'il me laissera réintégrer la tribu ?

Ils furent interrompus par l'arrivée d'un autre singe aux gestes lents mais sûrs. Les deux primates baissèrent la tête. Pakkal, par solidarité, fit de même.

– Que fais-tu ici, fils ?

– Je viens vous demander de me réintégrer à la famille.

– Pourquoi donc ? As-tu trouvé ce que je t'ai demandé ?

– Non, mais…

Son père le coupa.

– Alors retourne d'où tu viens. Je ne veux pas te voir.

– Père, je vous apporte un présent d'une grande valeur.

Pakkal se demanda ce qu'était ce présent, jusqu'à ce que le singe le regarde. Le cadeau, c'était lui !

– C'est un fou, continua le singe. Il porte les vêtements d'un Maya et prétend qu'il vient d'une cité. Il dit que c'est un prince.

– Un instant, fit Pakkal. Je crois que nous nous sommes mal entendus.

Le chef le fixa durement :

– Je ne t'ai pas donné l'autorisation de parler.

Le singe poursuivit :

– Je sais que cela vous mettra en colère, mais il affirme avoir un nom.

– Un instant, coupa le prince, je veux seulement récupérer…

Le paternel se mit à faire de grands gestes avec ses bras et à pousser des hurlements. Pakkal ne comprenait pas ce qui se passait. Le singe qui l'avait guidé et la femelle s'enfuirent, le laissant seul avec celui qu'ils appelaient Père. Pakkal leva les bras, pour lui faire signe qu'il avait des intentions pacifiques. Mais son vis-à-vis n'interpréta pas ce geste de la même manière.

– Personne n'a le droit de remettre en question la toute puissance de T'iqiqik. Personne !

Pakkal sursauta. Est-ce qu'il avait bien compris ?

– Comment vous appelez-vous ? demanda-t-il.

– On m'appelle T'iqiqik.

Le prince de Palenque fut pris d'un fou rire incontrôlable. T'iqiqik signifie « odeur de moufette ». Il n'avait jamais entendu un nom aussi ridicule !

Pakkal riait tant qu'il avait du mal à respirer.

– Qu'est-ce qui te fait rire autant ? demanda le singe. Pakkal eut du mal à lui répondre.

– Je... Je suis... désolé. C'est votre... votre nom.

– Qu'est-ce qu'il a mon nom ?

– Il... Il est... hilarant !

T'iqiqik était profondément vexé. Il poussa un cri, fonça sur le prince et atterrit les deux pieds sur sa poitrine. Pakkal perdit l'équilibre, mais avant qu'il n'atteigne le sol, il put stopper sa chute en se retenant à une branche. Cette agression lui avait enlevé toute envie de rire.

T'iqiqik tenta de mettre la main sur le prince, mais ce dernier parvint à s'esquiver. Dans les circonstances, il n'y avait qu'une chose à faire : fuir. Il reviendrait chercher sa mygale plus tard. Mais T'iqiqik était d'un autre avis, il ne voulait pas le laisser partir.

Pakkal comprit rapidement que même si son adversaire portait un nom ridicule, il n'avait pas volé son titre de chef de tribu. Car si le jeune garçon déploya tous ses efforts pour s'enfuir, il fut rapidement rejoint par T'iqiqik, qui lui sauta sur le dos.

≡

Grâce aux pouvoirs intuitifs de Tuzumab, celui-ci arriva, avec Yaloum et Zipacnà, là où Pak'Zil avait été agressé par les milliers de chauveyas. Le père de Pakkal fut surpris de ne pas trouver le scribe, il vit que le sol était d'un rouge sombre.

Yaloum descendit de sa sauterelle géante et prit une poignée de terre, elle était imbibée de sang.

– Il y a eu un carnage ici, dit-elle.

La dimension de la tache ne laissait pas de doute, Pak'Zil avait été massacré.

Tuzumab se pencha pour observer le sol.

– Vous croyez qu'il est mort ? demanda Yaloum.

Tuzumab ferma les yeux.

– Je ne sais pas.

Alors qu'ils reprenaient la route, Tuzumab sentit le besoin d'avancer le plus rapidement possible. Pak'Zil était en danger, il avait été fortement malmené. Mais Tuzumab n'arrivait pas à discerner s'il était encore vivant.

– Je n'aurais pas dû le laisser partir, fit Yaloum, prise de remords. J'aurais dû insister.

– Rien ne l'aurait fait changer d'avis, dit Tuzumab. Même si nous lui avions dit qu'il risquait sa peau, il serait parti.

– Mais où se trouve son corps ? On ne fait pas disparaître un géant aussi facilement.

– À moins qu'il y ait eu un autre géant pour le transporter. Comme Cabracàn.

– Pourquoi ne pas avoir laissé le cadavre ici ?

Tuzumab leva les épaules en guise de réponse. Yaloum se tourna vers Zipacnà.

– De là-haut, tu vois quelque chose ?

Zipacnà tourna la tête en scrutant l'horizon. Il n'y avait que de la forêt.

– Non, fit le dieu des Montagnes.

Un peu plus loin, Yaloum découvrit un corps de chauveyas écrabouillé. Puis un autre. Il y en avait douze en tout. L'un d'eux était encore vivant, mais il était fort mal en point .

– Dommage qu'ils ne sachent pas parler, dit Yaloum.

Puis elle fit signe à Zipacnà d'abréger ses souffrances.

– Il y a eu une bataille, ici, poursuivit-elle. Se peut-il que Pak'Zil soit parvenu à se sauver ?

Tuzumab frotta la semelle de sa sandale sur le sol.

– Si c'était le cas, nous retrouverions des traces. Or, il ne semble pas y en avoir.

– Nous n'avons plus rien à faire ici, décréta Yaloum. Allons-nous-en.

Ce qu'ils firent. Tristement, il reprirent la route à la recherche de la seule Maya connue possédant la graine qui allait faire renaître l'Arbre cosmique.

Après des heures de marche sans histoire, suivant les indications de Tuzumab, ils arrivèrent devant une rivière pas très large, mais au débit élevé.

– C'est ici, fit Tuzumab.

Il pointa du doigt un énorme tronc d'arbre mort en aval du courant d'eau.

– C'est là-dedans qu'elle vit. Mais elle n'y est pas.

Yaloum descendit de sa sauterelle géante et s'approcha de l'habitation. Le tronc était juste assez large pour contenir un lit et un banc. Elle vit des couvertures éparses sur le lit et des restes de nourriture qui pourrissaient sur le sol, lequel fourmillait d'insectes.

– Ce lieu est inhabité.

Alors que Yaloum allait pénétrer dans la demeure, une étincelle d'intuition traversa l'esprit de Tuzumab :

– Non ! N'y entrez pas !

Yaloum se retira juste à temps pour éviter une lance qui se planta à quelques centimètres de ses pieds.

Elle regarda le père de Pakkal :

– Merci. Sans votre aide, j'étais perdue. Je vous en dois une.

Elle regarda une autre fois l'intérieur de la maison.

– J'ai déjà vu un habitat plus accueillant, dit-elle.

Elle fit le tour des lieux. Pas de trace de dame Iwan.

– Que doit-on faire ? L'attendre ? Je ne peux pas croire qu'elle vive dans ces lieux. C'est infect.

– C'est pourtant bien sa maison, affirma Tuzumab.

– Je me demande quel genre d'individu on devient lorsqu'on est sak nik nahal, et qu'on revient vivre dans le Monde intermédiaire, fit Yaloum.

– On nous observe, dit Tuzumab.

– C'est elle ?

– Non. Ils sont plusieurs.

Yaloum examina les alentours. Elle aperçut en effet un guerrier caché dans les bosquets. Puis un autre, et un autre.

– Combien sont-ils ?

– Je ne peux pas les compter, ils sont trop nombreux, dit Tuzumab.

– Qu'attendent-ils pour sortir ?

– Ils ont peur.

Yaloum décida de provoquer les choses. Elle leva les bras pour montrer qu'elle n'était pas armée. Puis elle cria :

– Nous ne sommes pas vos ennemis, nous cherchons…

Tuzumab la prit par le bras et la força à s'agenouiller au sol. Une pluie de lances s'abattit sur eux. Zipacnà protégea sa compagne et lui-même en formant un bouclier de ses mains.

Il y eut quelques sifflements. Voyant qu'ils n'auraient pas le dessus, les guerriers s'enfuirent.

– Attrapes-en un, dit Yaloum à Zipacnà.

Le géant n'eut qu'à faire deux pas pour mettre la main sur un de leurs attaquants. Le guerrier se débattait, mordait la main de Zipacnà, se tortillait et donnait des coups de poing, sans que le géant n'en soit incommodé le moins du monde.

Le guerrier dans les mains, Zipacnà s'approcha de Yaloum et de Tuzumab.

– Nous ne vous voulons aucun mal, dit Yaloum. Nous cherchons la femme qui vit dans ce tronc d'arbre. Peut-être la connaissez-vous ?

Le guerrier paraissait terrorisé. Ses yeux étaient grands ouverts, il restait muet de terreur. Il réussit à se dégager de l'emprise de Zipacnà. Le géant fit un geste pour remettre la main dessus, mais Yaloum l'en empêcha :

– Laisse-le aller. Il ne peut pas nous aider.

S'il y avait des guerriers à proximité, cela signifiait qu'il y avait aussi une ville. Là-bas, quelqu'un pouvait peut-être les renseigner.

Avant de repartir, les trois membres de l'Armée des dons étanchèrent leur soif. En se relevant, Yaloum demanda à Tuzumab :

– Lorsque nous aurons retrouvé la dame, comment allons-nous nous y prendre ? Vous croyez qu'elle va nous donner la graine simplement parce que nous lui aurons demandé gentiment ?

– Cela me surprendrait, répondit Tuzumab. Cette graine se trouve dans sa bouche. Si elle la retire, elle mourra instantanément.

Pakkal se défendit courageusement contre un assaillant qu'il savait beaucoup plus fort que lui. Les coups du chef étaient précis et puissants alors que ceux du prince rataient fréquemment leur cible.

Lorsque Pakkal vit arriver d'autres singes, il se dit que sa seule chance serait de s'esquiver. Mais c'était peine perdue, « Odeur de moufette » le retenait bien fermement.

Il fut traîné de force dans le repaire de la tribu des singes, un arbre mort aux branches blanchies par les intempéries et le soleil. Il fut heureux de voir sa mygale, attachée au tronc massif et qui semblait l'attendre.

Deux singes encadraient Pakkal et le tenaient par un bras tandis qu'une bonne dizaine de camarades, assis sur des branches, le regardaient avec attention.

T'iqiqik arracha les vêtements du prince et les enfila. Pakkal se sentit humilié ainsi dénudé. Ce n'était qu'une impression puisque son corps était couvert de poils, comme tous les autres singes hurleurs. On remit au chef le sac à dos que Pakkal avait porté durant son parcours. Alors qu'il allait regarder ce qui se trouvait dedans, le prince l'en empêcha :

– Non ! Ne faites pas cela !

T'iqiqik s'approcha du prince, les épaules bien droites, en signe de supériorité.

– Comment oses-tu me donner des ordres ? Si je veux regarder ce qu'il y a dans ce sac, je le ferai.

– Il contient un cadeau que je dois remettre à Ah Puch de la part d'Itzamnà. On m'a interdit de regarder ce que c'est.

– Je ne sais pas de qui tu parles.

Le chef toucha fièrement les habits qu'il portait.

– Ces vêtements m'appartiennent maintenant.

Pakkal se dit que dans les circonstances, il valait mieux ne pas le contrarier. Le primate poussa bientôt un cri qui le fit sursauter.

– Comment as-tu osé défier mon autorité ?

– Écoutez..., dit Pakkal. Je ne veux pas créer de...

– Tais-toi ! De quelle tribu viens-tu ? Ne t'a-t-on pas enseigné le respect ?

Le singe qui avait conduit Pakkal devant son chef et qui lui tenait un bras, dit :

– Il est fou, je vous l'ai dit. Il affirme être le prince d'une grande cité. Je vous ferai remarquer que c'est un spécimen très rare, un inestimable ajout à votre collection.

– Ce n'est pas à toi que je m'adresse, dit T'iqiqik sans regarder son fils.

– Je sais, mais ne voyez-vous pas que je fais des efforts pour réintégrer la tribu ? Je le mérite, Père.

– Ce n'est pas toi qui vas décider pour moi. Ferme-la.

Pakkal sentit que le fils devenait de plus en plus impatient, comme s'il se révoltait contre une promesse non tenue.

– Je vous ai rapporté un serpent à deux têtes, de nombreux morceaux de pierre verte que les Mayas chérissent tant, un morceau de ciel, une mygale géante. Cette fois, c'est un des nôtres qui croit être un prince et qui dit porter un nom que j'amène devant vous. Que désirez-vous de plus ?

– Tu le sais, dit le chef.

Le singe relâcha Pakkal. Son impatience se transformait lentement en colère.

– Ce lapin n'existe pas !

La femelle, rencontrée plus tôt, tenta de s'interposer.

– Calme-toi, murmura-t-elle.

– Non ! J'en ai assez de me calmer. Cette histoire de lapin, c'est un défi impossible à relever! Combien de temps vais-je devoir payer pour les fautes que j'ai commises ?

Pakkal pensait savoir de quoi il était question. C'était une de ces légendes animalières qu'on racontait pour expliquer certaines caractéristiques étranges. Lors de la Première création, les lapins portaient des bois tandis que les cerfs n'en avaient pas. Un jour, un cerf demanda à un lapin de les lui prêter sous prétexte qu'il devait défendre son territoire contre un ours. Le lapin voulut faire preuve de gentillesse et accepta. Mais il ne revit plus jamais le cerf. Lorsqu'il croisa l'ours, celui-ci lui fit savoir qu'il n'avait jamais tenté de s'emparer du territoire du cerf. C'est depuis ce temps, dit-on, que les lapins, honteux d'avoir été bernés, ont de longues oreilles pour se cacher les yeux.

Cette histoire, on la racontait volontiers aux enfants afin qu'ils se méfient des on-dit et des étrangers, faute de quoi ils risquaient de se retrouver avec de grandes oreilles !

Le singe s'approcha de son père, il semblait véritablement en colère. La femelle le retint.

– Non, ne fais pas ça.

D'un coup d'épaule, il se dégagea d'elle et soutint le regard de son père.

– Tu n'arriveras jamais à prendre ma place, dit T'iqiqik. D'entre tous mes fils, tu es le plus abruti. Tu agis sans réfléchir.

Une rixe éclata. Le père et le fils poussèrent des cris de guerre, se mordirent et s'égratignèrent de leurs griffes.

Les autres singes, y compris celui qui tenait le bras du prince, s'approchèrent à leur tour, effectuant une danse étrange : ils bondissaient de branche en branche en poussant des bruits courts et aigus, comme s'ils encourageaient les belligérants.

Pakkal se dit que le moment était venu de s'esquiver en douce. Hélas, l'affrontement fut de courte durée, le père ayant un net avantage sur son fils ! D'un simple coup de tête dans le ventre, il lui coupa le souffle, puis voyant son état d'extrême vulnérabilité, il porta un coup qui allait mettre fin aux hostilités : il lui écrasa le poing sur le nez. Le fils tomba du haut de l'arbre, cassant quelques branches au passage.

T'iqiqik poussa un série de cris en le regardant, puis s'exclama :

– Je suis le plus fort ! Je suis le chef de cette tribu et personne ne pourra me retirer ce titre ! Personne !

Il s'empara du sac en peau de tapir et décida de l'ouvrir. Pakkal allait protester, mais le chef lui jeta un regard si rempli de hargne qu'il ne bougea pas.

– Ne faites pas ça, murmura le prince.

T'iqiqik ne l'écouta pas et ouvrit le sac.

L'idée que dame Iwan allait mourir par leur faute ne plaisait guère à Yaloum. Elle se voyait mal lui enlever la graine de force et la laisser agoniser sans rien faire.

– Il doit bien y avoir une autre solution, dit-elle. Je refuse de provoquer la mort de cette dame.

– C'est la seule manière de faire, fit Tuzumab.

Rapidement, ils retrouvèrent le village d'où venaient les soldats qui les avaient attaqués plus tôt. C'était un village moyen, comptant une cinquantaine de huttes, et qui semblait désert. Malgré le beau temps, on ne voyait personne. Pourtant, des cris d'enfants prouvaient que ce village n'était pas abandonné. Les habitants devaient se cacher dans leurs huttes.

Yaloum demanda à Zipacnà de demeurer en retrait pour ne pas provoquer de panique. Elle se doutait qu'elle allait recevoir un accueil froid, sinon carrément hostile. Elle allait se contenter de demander où était cette dame à la peau verte qui vivait dans un tronc d'arbre.

À la porte du village, elle hésita. Si les soldats s'apercevaient qu'elle était seule avec Tuzumab, ils allaient les abattre tous les deux, elle en était sûre. Et s'ils étaient accompagnés du dieu des Montagnes, personne n'allait vouloir leur parler. Il fallait les apprivoiser car pour une raison qui lui échappait, ces gens étaient traumatisés.

Les cris d'enfants surexcités lui donnèrent une idée. Elle allait retourner chercher sa sauterelle géante, la détacherait et reviendrait au village comme si elle y avait toujours vécu.

Tuzumab tenta de l'en empêcher :

– C'est trop dangereux ! Vous croyez que votre sauterelle va vous protéger ? Elle ne sait que manger de l'herbe !

– Faites-moi confiance, Tuzumab.

Malgré sa peur de recevoir une lance en plein cœur, elle s'avança sans rien laisser paraître. La sauterelle la suivait docilement comme pour une banale promenade de santé.

Yaloum vit des soldats apparaître derrière les huttes, leurs armes pointées vers elle. Elle continua d'avancer sans les regarder. Mais elle s'arrêta quand elle croisa une ligne formée d'une dizaine de soldats, dont elle vit que certains tremblaient. Ils semblaient prêts à l'attaque. Lentement, elle leva les bras.

– Regardez, je ne suis pas armée, dit-elle. Je veux seulement discuter avec vous.

Ses paroles ne réconfortèrent personne. Les soldats continuèrent d'avancer en silence, leur arme à quelques mètres de son cœur. Elle se dit qu'elle aurait peut-être dû suivre les conseils de Tuzumab.

Mais ce qu'elle avait prévu commença à se réaliser. Un enfant se faufila entre les soldats, puis un autre. Et plusieurs autres curieux, tous attirés par la sauterelle géante.

– Vous pouvez la toucher, fit Yaloum doucement. Elle est gentille, elle ne vous fera aucun mal.

Elle était maintenant entourée d'enfant qui créaient un bouclier et la protégeaient des soldats nerveux. Suivre son instinct lui avait été profitable. Elle et Tuzumab l'avaient échappé belle.

Sa sauterelle était un objet de curiosité, elle le savait, elle avait vécu plusieurs expériences semblables. Les adultes redoutaient généralement sa sauterelle géante et s'en approchaient rarement. La bête avait d'ailleurs déjà reçu un coup de couteau d'un illuminé, qui se prétendait victime d'un complot ourdi par les fonctionnaires de la cité. Selon lui, la sauterelle faisait partie du complot parce qu'elle lui avait jeté un regard menaçant. L'homme avait planté la lame dans une de ses longues pattes arrière, qui lui permettaient d'atteindre des hauteurs vertigineuses. Au lieu d'affronter son assaillant, la sauterelle s'était enfuie et Yaloum l'avait retrouvée des kilomètres plus loin. Ce ne fut qu'après plusieurs semaines que le lien de confiance avait pu se rétablir entre elles. Depuis ce jour, Yaloum, au lieu de l'amener avec elle dans un lieu public, prenait soin de l'attacher à un arbre, à l'abri des regards humains.

Toutefois, elle avait remarqué que les enfants, moins méfiants que les adultes, n'hésitaient pas à s'approcher de la sauterelle, à la toucher et à lui parler. Yaloum s'était dit que si elle parvenait à captiver les enfants, il serait plus aisé ensuite d'entrer en contact avec les adultes.

Des mères appelèrent leurs enfants, leur demandant de rentrer immédiatement. Mais les petits étaient si intrigués par la bête qu'ils n'entendirent pas. Les femmes durent sortir de leur hutte et passer entre les soldats pour se faire obéir.

– Il n'y a pas de danger, fit Yaloum. Elle est inoffensive.

Enfin, on s'adressa à elle. Une voix masculine. Derrière elle.

– Allez-vous-en !

C'était un des soldats. Yaloum se retourna et vit qu'il lui manquait un œil.

– Que se passe-t-il ? demanda Yaloum. Pourquoi tremblez-vous? De qui avez-vous si peur ?

Le soldat fit comme si elle n'avait pas posé de questions.

– Déguerpissez, je vous dis.

Les enfants avaient été entraînés par leur mère. Yaloum n'avait plus de protection.

– J'ai besoin d'aide, dit-elle. Je suis à la recherche d'une femme qui aurait en sa possession…

Yaloum s'arrêta net. Le soldat venait de placer la pointe de sa lance sous son menton. Un petit coup et elle deviendrait sak nik nahal.

– Les étrangers ne sont pas les bienvenus ici.

Yaloum sentit la pointe de la lance s'enfoncer dans la chair de son cou.

– Je ne veux plus vous voir.

– Retire ta lance, Jolom.

C'était la voix de Tuzumab.

Le soldat se retourna.

– Tu peux me faire confiance, dit-il. J'ai été un ami de ton père.

Yaloum jeta un regard d'incompréhension à Tuzumab.

– Mon père ? Il est mort depuis longtemps.

– Je sais. Je garde de très bons souvenirs de lui.

Le visage de Jolom se durcit. Il revint à Yaloum et replaça sa lance.

– Vous racontez n'importe quoi.

– Je sais ce qui s'est passé le jour de sa mort.

– Ça n'a rien de nouveau, tout le monde est au courant.

– Non, Jolom, dit Tuzumab. Je sais ce qui s'est *réellement* passé.

Le soldat serra la mâchoire. Une goutte de sang apparut au bout de sa lance. Yaloum grimaça.

– Je sais comment tu as perdu ton œil. Ce n'est pas un animal sauvage qui te l'a arraché. C'est plutôt toi qui...

À ces mots, Jolom eut une réaction des plus étonnantes.

Dès que T'iqiqik regarda dans le sac, il le laissa tomber et ouvrit toute grande la gueule sans laisser échapper un seul son. Les yeux agrandis de terreur, il recula, et se laissa tomber sur une branche.

Les autres primates qui avaient considéré la scène eurent un mouvement de panique et se déplacèrent dans tous les sens. La frayeur de T'iqiqik s'était répandue comme un mal contagieux, les singes se mirent à hurler avec une telle intensité que Pakkal dut se boucher les oreilles.

T'iqiqik se mit alors à se dévêtir, le même rictus au visage. Puis, il se gratta avec une sorte de rage, comme si sa fourrure était couverte de tiques. Des touffes de poils volaient dans les airs et il ne fallut que quelques minutes pour qu'il ait la peau entièrement nue. Dès ce moment, il stoppa net sa séance de grattage et le faciès d'horreur qu'il affichait depuis de nombreuses minutes disparut. Il était seul à présent, tous les autres singes avaient disparu, ne restait plus que Pakkal. Celui-ci remit ses vêtements, puis demanda au singe :

– Comment allez-vous ?

Il se rendit compte de la stupidité de sa question. Il était assez clair que ce n'était pas la grande forme.

Comme s'il venait de se réveiller d'un cauchemar, T'iqiqik écarquilla les yeux et regarda autour de lui.

– Le sac, dit-il. Où est le sac ?

Pakkal ne l'avait évidemment pas perdu de vue.

– Il est là-bas, répondit-il en le montrant du doigt.

T'iqiqik eut un mouvement de recul tout en regardant autour de lui comme si sa vie était menacée.

– Je ne le vois pas… dit-il. Où ?

Pakkal quitta sa branche et s'en empara en prenant soin de ne pas y jeter un regard, et il le referma soigneusement.

– Il est ici, fit Pakkal.

T'iqiqik laissa échapper un cri aigu, puis grimpa au sommet de l'arbre.

– Ne l'approche surtout pas de moi !

Pakkal le remit sur la branche. Puis, voyant que le singe qui l'avait conduit jusqu'ici était toujours allongé par terre, apparemment inanimé, il alla voir ce qu'il pouvait faire pour lui. Il était inconscient, le visage contre terre, mais il respirait encore. Pakkal le remit sur le dos pour lui permettre de mieux respirer.

Pensivement, il fixa le sac. Que pouvait-il contenir qui puisse produire une telle réaction ?

Pakkal sentit qu'il devait éviter de poser la question qui lui brûlait les lèvres, mais sa curiosité était vive. Il rejoignit le chef de la tribu qui, recroquevillé, se balançait sur une branche comme pour se bercer.

– Recule ! lui cria-t-il. Éloigne cette chose de moi !

Pakkal le rassura :

– Elle n'est pas avec moi. Je l'ai laissée en bas.

T'iqiqik s'assura que Pakkal disait vrai.

– Tu dois te débarrasser de cette abomination. L'enterrer très loin d'ici et l'oublier.

– Qu'est-ce que c'était ? demanda le prince.

T'iqiqik secoua vigoureusement la tête.

– Je ne veux rien te dire. Je dois oublier ce que j'ai vu. Je dois faire comme si je n'avais jamais ouvert le sac. Tu disais vrai, j'aurais dû t'écouter.

Cette réponse ne satisfaisait pas Pakkal, il voulait des détails.

– Mais qu'est-ce que c'est ? Je pensais que c'était un vase. Il me semble que ça en a la forme et le poids.

T'iqiqik se contenta de ricaner. Pakkal contempla le sac en peau de tapir. Et s'il regardait dedans ? Juste un instant. Juste pour savoir, juste pour apaiser sa curiosité…

Il descendit de l'arbre et prit le sac dans ses mains. Il le pétrit. Mais qu'est-ce que cela pouvait bien être qui puisse provoquer un si grand effroi ? Il posa ses doigts sur l'ouverture, les fit glisser. Et s'il touchait l'objet sans le regarder ? C'était un bon compromis, non ?

L'image d'Itzamnà apparut dans sa tête. Il retira ses doigts et passa la courroie du sac sur ses épaules. Il lui fallait avoir le dessus sur son envie de regarder. Si le père de tous les dieux le lui avait interdit, c'est qu'il avait une bonne raison. Ce n'était pas un caprice de sa part. Oui, il souhaitait ardemment savoir ce qu'il y avait dans le sac. Il avait vu la violente réaction de T'iqiqik, avait-il besoin d'un autre motif pour enfreindre les consignes d'Itzamnà ?

Il n'avait plus rien à faire ici. Il devait récupérer l'œuf à la coquille de jade et se rendre à Tazumal le plus rapidement possible.

Avant de partir, il passa près du fils du chef et vit qu'il était entouré par tous les autres membres de la tribu.

– Il est mort, n'est-ce pas ?

Personne ne réagit. Tous le fixaient. Il eut l'impression qu'on posait sur lui un regard accusateur.

– Que se passe-t-il ?! Ce n'est pas moi qui l'ai tué !

La femelle s'approcha de Pakkal.

– Nous savons, fit-elle. Vous êtes maintenant notre Père.

– Votre père ?

Elle fit comme si le prince avait compris.

– Vous avez maintenant le droit de porter un nom. Lequel choisissez-vous ?

Comme s'il s'agissait d'un concours, les autres singes participèrent en lançant des idées :

– Tz'il qui signifie saleté !

– Qumar, pourriture !

– Rax'qan, envie de vomir !

– Q'ururik, bruits d'estomac !

– Jolomaj, mal de tête !

Les noms étaient tous plus ridicules les uns que les autres.

– Un instant, dit le prince. Que diriez-vous de m'appeler Pakkal, qui signifie « bouclier ».

Les singes se regardèrent. L'un d'eux prit la parole.

– C'est un nom stupide et insignifiant. Mais si c'est ce que vous désirez...

– C'est ce que je désire en effet, dit le prince. Je m'appelle Pakkal.

La femelle regarda ses congénères et laissa échapper une succession de sons que les autres imitèrent. Puis, elle demanda :

– Bouclier, maintenant, c'est à vous de nous dire quoi faire, quand le faire et comment le faire.

Jolom abaissa sa lance et, lentement, se mit à genoux. Il posa ses mains tremblantes sur sa tête et éclata en sanglots.

Tuzumab avait ressenti tout ce qui perturbait le soldat. Il savait que s'il n'agissait pas promptement, Jolom allait commettre l'irréparable. Il s'était donc servi de son souvenir le plus douloureux pour l'atteindre et le faire craquer.

Son père était mort devant lui, c'est du moins ce qu'avait affirmé Jolom. En rentrant au village, il avait raconté comment il avait été attaqué par un « cerf aux dents d'alligator ». L'animal avait d'abord foncé sur lui et lui avait crevé un œil avec l'une de ses cornes avant de s'en prendre à son père qu'il avait dévoré. À la fin, il ne restait plus rien, pas même les os. La bête s'était approchée de Jolom, qui faisait le mort, et l'avait senti avant de repartir dans la forêt.

On surnomma la bête Subunel, qui signifie « affreux animal qui effraie les gens ».

Le récit de Jolom avait éveillé le désir de vengeance des villageois. Ils voulaient retrouver le Subunel et le mettre en pièces. On craignait d'ailleurs qu'il fasse d'autres victimes. Des rumeurs se mirent à circuler. Une femme affirmait l'avoir croisé alors qu'elle cueillait des petits fruits dans la forêt. Une autre l'avait entraperçu dans le village, en train de renifler le sol. Puis un garçon était revenu à la maison, trois doigts en moins, disant que le Subunel les lui avait arrachés.

Un jour, un villageois disparut. Bien qu'il fût un homme dépressif, beaucoup crurent qu'il avait été dévoré par le Subunel. On organisa des battues, mais on ne retrouva jamais le cerf aux dents d'alligator. Toutefois, chaque fois qu'on croisait un animal mort et déchiqueté, on murmurait que c'était l'œuvre du Subunel.

Pourtant, ces récits ne reflétaient nullement la réalité. Le Subunel n'existait pas. Il s'agissait d'une pure invention de Jolom pour expliquer la mort de son père. C'est Jolom qui avait tué son père. C'était un accident dont il était responsable. Alors que son père le lui avait formellement interdit, il avait projeté sa lance en direction d'un cerf. Or, l'arme avait atteint son père, qui était à proximité de la proie, et lui avait transpercé le cœur. Il était mort immédiatement. Un accident aussi cruel que bête. Jolom en était responsable mais il était incapable d'assumer son geste. Sachant que s'il disait la vérité, il allait devoir quitter le village, il avait préféré mentir.

Tous les enfants devaient obéir aux ordres de leur père. C'était une règle que personne ne pouvait transgresser. Pourtant, Jolom, rebelle dans l'âme, l'avait fait bien des fois. Chaque fois, son père l'avait puni et l'avait mis en garde. « Un jour, lui avait-il dit, tu le regretteras ». Mais Jolom n'apprenait pas de ses erreurs. « Les erreurs sont utiles, lui disait encore son père, elles nous servent à ne plus les répéter. » Cette erreur-là, Jolom ne la referait plus jamais, c'était une certitude.

Mentir avait été pour lui la seule manière de se tirer d'embarras : il avait choisi de dissimuler la vérité. Il fut ensuite considéré comme un héros, une source d'inspiration pour les gens qui frôlaient le danger. D'autant plus qu'il avait perdu un œil. Lorsqu'un villageois se plaignait de son sort, on lui disait : « Pense à Jolom. Non seulement il ne voit plus que d'un œil, mais il a été témoin d'un drame atroce. Tu devrais t'inspirer de son courage et cesser de geindre. »

Parmi toutes ses inventions, c'est sa blessure à l'œil qui lui procurait le plus de fierté. Se crever un œil pour donner de la crédibilité à un mensonge peut sembler l'œuvre d'un fou. C'est d'ailleurs ce que Jolom s'était dit lorsqu'il avait fait pénétrer la lame du couteau dans son globe oculaire. Sur le moment, la douleur avait été intenable, mais il n'avait jamais regretté son geste. Il était considéré comme un survivant, ce qui lui conférait une aura d'héroïsme enviable.

Néanmoins, Jolom craignait la colère des dieux. Souvent, il avait du mal à dormir, hanté par son acte ignoble. Chaque jour on vantait ses mérites, chaque jour on lui rappelait son crime. Et chaque fois, il se disait qu'il n'était pas digne de l'estime des villageois. Il était un être vil et il ne faisait rien pour le montrer. Au contraire, il s'enfonçait dans le mensonge. Lorsque l'homme dépressif avait disparu, c'est lui qui l'avait trouvé, pendu à un arbre. Après s'être assuré qu'il était seul, il avait détaché le corps du malheureux et l'avait précipité en bas d'une falaise afin qu'on ne le retrouve jamais. Ainsi, la légende du Subunel allait pouvoir se perpétuer.

La colère des dieux tant redoutée par Jolom mit peu de temps à se manifester. Un jour, une femme étrange à la peau verte que tout le monde fuyait apparut dans le village, portant une ceinture ayant appartenu au père de Jolom. Elle affirma l'avoir trouvée dans un endroit où elle avait découvert des ossements. Après les avoir examinés, elle avait constaté que la cage thoracique avait été transpercée de part en part, comme traversée par une lance.

En entendant cela, Jolom entreprit une véritable campagne de dénigrement à l'endroit d'Iwan qui, pourtant, s'était contentée de rapporter le fait. Le Maya sentait que s'il n'intervenait pas, son subterfuge allait être découvert. Il la traita de folle, colporta des histoires fausses à son sujet et, ultimement, insinua qu'elle était peut-être elle-même le Subunel puisqu'elle semblait être la seule personne à savoir où étaient les restes de son père. Les villageois s'en donnèrent à cœur joie et la déprécièrent avec force. Déjà fragile, Iwan se réfugia dans la forêt. Puis elle tenta de se suicider en se jetant du haut d'une falaise. Gravement blessée, ce fut un ours qui l'acheva.

Mais la quiétude de Jolom fut de courte durée. Un jour où une pluie diluvienne s'abattait sur le village, Iwan refit son apparition. C'est à ce moment que Jolom se mit à adopter un comportement étrange et à délirer. Et à se dire qu'il aurait dû assumer l'erreur de jugement qu'il avait faite. Toutes ses angoisses étaient devenues une torture.

Tuzumab, qui savait tout de sa détresse, lui chuchota à l'oreille :

– Sais-tu où se trouve Iwan ?

Jolom fit oui de la tête.

Pakkal comprit rapidement qu'il était devenu très important aux yeux des singes hurleurs lorsqu'il constata que chacun de ses gestes était scruté à la loupe. Alors que, posant son oreille sur sa poitrine, il s'assurait que le primate était bel et bien mort, il releva la tête et demanda impatiemment :

– Pourquoi me regardez-vous comme ça ?

– Nous attendons vos ordres, dit un des singes qui n'avait pas encore parlé.

– Je n'ai pas d'ordre à vous donner.

– Vous êtes notre chef. Nous attendons vos ordres, répéta-t-il.

Pakkal fit non de la tête avec vigueur.

– Je ne veux pas de cette responsabilité. J'en ai assez sur les épaules.

– J'ai faim, dit l'un des singes.

– Moi, j'ai soif, dit un autre.

– Je vous ordonne de vous débrouiller seuls, d'accord ?

Il observa le cadavre allongé à ses pieds.

– Que faites-vous de vos morts ?

Aucun des singes ne répondit.

– Je vous ai posé une question. Est-ce que vous les enterrez ? Les faites-vous brûler ?

Pakkal avait oublié qu'il s'adressait à des bêtes qui passent des heures à fouiller le pelage de leurs congénères pour se nourrir de leurs poux. Le rite funéraire devait être le cadet de leurs soucis. L'un d'eux s'exprima tout de même :

– J'ai déjà vu T'iqiqik démembrer un cadavre pour en dévorer la chair et se servir de ses os pour jouer de la musique.

Pakkal leva les yeux vers l'ancien chef de la tribu. Il était toujours prostré, se balançant d'avant en arrière, le regard absent.

– Je passe mon tour, murmura le prince en soupirant.

Il chercha le moyen de disposer du corps le plus rapidement possible. Pakkal se dit que ce singe, aussi désagréable avait-il été avec lui, méritait de reposer en paix. Il traîna sa dépouille dans la forêt et la recouvrit de cailloux, sous le regard des autres singes qui continuaient d'avoir faim ou d'avoir soif. Pakkal perdit son sang-froid :

– Vous êtes libres ! Partez ! Faites ce que bon vous semble, je m'en fous.

Pakkal songea à tout ce qui lui restait à faire. Une fois qu'il serait sur le dos de Loraz, prêt à partir, où irait-il? Itzamnà avait dit qu'il y aurait des « signes » lui indiquant le chemin à prendre. Il n'en voyait aucun.

Malgré l'ordre qu'il venait de donner aux singes, ceux-ci le suivaient en se lamentant. Pakkal se dit qu'il ferait mieux de les ignorer, ce qu'il fit, non sans mal.

Il avait assez perdu de temps. Il devait maintenant retrouver l'œuf à la coquille de jade, et vite.

Loraz dormait. Il posa sa main maladroite sur une de ses pattes. La mygale géante eut un sursaut.

– C'est moi, dit Pakkal.

Cette parole qu'il voulait rassurante se traduisait cependant par des sons aigus. Pakkal se trouva ridicule de s'adresser ainsi à sa mygale. Il ne savait même pas si elle le comprenait lorsqu'il lui parlait maya, le pouvait-elle mieux lorsqu'il lui parlait singe ! Il se remémora les propos de son maître Zantac au sujet des mygales, disant qu'elles étaient fort imprévisibles.

Pakkal s'approcha d'elle. Cette fois, la mygale fit un bond en arrière et lui, qui tenait sa laisse, fut traîné sur des mètres. Ridicule ou pas, le prince se fit un devoir de la rassurer.

– Du calme, voyons. Tu me connais. Regarde mes vêtements. C'est moi, Pakkal, ton maître.

Il s'approcha de nouveau, dans le but de la chevaucher, mais la mygale leva deux de ses pattes velues et lui montra ses crocs. C'était mauvais signe : elle se sentait menacée.

Pakkal savait qu'il ne devait pas insister. Dans cet état, rien ni personne ne pouvait l'apaiser, surtout pas un singe hurleur.

Tout en gardant un œil sur elle, il recula lentement. Un geste de trop et il allait être attaqué.

Loraz recula d'un pas et s'aplatit sur le sol. Pakkal vit qu'elle était sur le point d'attaquer !

Alors qu'il allait sauter sur une branche, Loraz bondit vers lui et l'attrapa au vol. Surpris, Pakkal figea, puis se débattit pour se dégager. S'il n'y parvenait pas, les deux crocs de Loraz allaient bientôt pénétrer dans sa chair et inoculer le venin qui allait liquéfier ses organes internes.

La prise de Loraz était parfaite. Pakkal n'arrivait presque plus à bouger. Il savait qu'au moment où il allait être complètement immobile, ses chances de survie deviendraient nulles.

L'étreinte de Loraz devenait un étau : Pakkal ne parvenait plus à se mouvoir, ne lui restait plus que ses jambes, qui ne lui étaient d'aucune utilité.

Il vit les crocs de Loraz se séparer et bouger d'avant en arrière. Pour l'avoir longuement observée lorsqu'elle s'alimentait, il savait qu'elle se préparait à le déguster.

Il regarda autour de lui. Un de ses semblables pourrait peut-être lui venir en aide. Mais les singes semblaient avoir renoncé à le suivre, il ne vit personne.

Il déploya toutes ses forces et réussit à dégager un de ses bras. Puis l'autre. Afin d'avoir une meilleure prise, Loraz relâcha son étreinte. Pakkal en profita pour rouler sur lui-même, parvint à échapper aux pédipalpes et se retrouva sur le sol.

Même si son instinct lui dictait de prendre la fuite, il ne bougea pas. Il savait que la mygale avait une très mauvaise vue. Pour situer ses proies, elle se fiait aux milliers de poils urticants qui recouvraient son corps. Si Pakkal ne bougeait pas, elle ne pourrait pas le repérer.

Lorsqu'elle fut immobilisée pendant un certain temps, Pakkal se dit qu'il pourrait risquer de prendre la fuite. Il se releva, visant un arbre à quelques pas de lui. Mal lui en prit, la mygale détecta sa présence et s'empara de lui de nouveau. Cette fois, elle ne le rata pas et le corps du prince fut entièrement immobilisé. Loraz mettait tellement de pression sur ses pédipalpes que Pakkal n'arrivait plus à respirer.

Les crocs de la mygale géante se dressèrent, prêts à pénétrer la chair du singe hurleur qu'était devenu le prince de Palenque.

•
•

Après avoir admis son crime à Tuzumab, Jolom demeura à genoux, les mains sur le visage. Il n'arrivait pas à contrôler ses pleurs et craignait qu'on le voie dans cet état. Il songea à la maxime maya qui affirmait : « Un soldat qui pleure est un homme mort ». Dans certaines cités, lorsqu'un soldat était surpris dans cet état de grande vulnérabilité, il était rejeté par la troupe et, dans certains cas, on n'hésitait pas à l'exécuter. Jolom était hautement apprécié de ses camarades parce que, justement, il ne s'était jamais effondré, et ce, malgré sa rencontre avec le Subunel.

Depuis qu'Iwan, revenue du royaume des morts, avait fait son apparition dans le village, Jolom était convaincu qu'il subissait les foudres des dieux à cause de l'erreur qu'il avait commise des années auparavant. Il ne dormait pas plus d'une heure à la fois, et il était continuellement réveillé par des terreurs nocturnes ou des cauchemars plus vrais que nature.

Tuzumab glissa à son oreille :

– Dis-moi où elle se trouve et je garderai pour moi les faits entourant la mort de ton père.

Jolom, complètement abattu, se releva et fit signe à Tuzumab et à Yaloum de le suivre. Les soldats qui les entouraient restèrent immobiles, paralysés par la scène à laquelle ils assistaient. Les yeux de Jolom, le grand Jolom, celui qui avait un jour affronté le terrifiant Subunel, laissait échapper des larmes !

Ensemble ils traversèrent le village et se rendirent dans une hutte plus grande que les autres. Le toit de chaume semblait avoir été remplacé récemment, contrairement aux autres huttes dont on aurait dit qu'elles avaient été laissées à l'abandon.

Plusieurs cadavres sans tête et recouverts de vermine jonchaient le sol.

– Que s'est-il passé ? demanda Yaloum, dégoûtée par ce spectacle d'horreur.

Tuzumab l'ignora. Il haussa les épaules en guise de réponse.

Jolom, le menton toujours serré sur la poitrine, tendit le bras et montra une hutte.

– C'est là, dit-il.

Le père du prince de Palenque était dubitatif :

– C'est ici qu'elle habite ?

Jolom fit oui de la tête.

Ce n'est pas ce que l'intuition de Tuzumab lui indiquait. Iwan résidait bel et bien dans le tronc de l'arbre au bord de la rivière, Tuzumab en était persuadé.

Il hésita avant d'entrer dans la hutte. Et si c'était un piège ?

– Je vais y entrer en premier, dit-il à Yaloum, qui attachait sa sauterelle géante à un poteau.

Lorsqu'il pénétra dans la hutte, une odeur nauséabonde le fit reculer d'un pas. Une odeur comme celle-là, aussi repoussante, il n'en avait senti qu'à Xibalbà. Et encore, ce n'était pas aussi concentré.

Il y avait tant de mouches et il faisait si sombre qu'il avait du mal à distinguer l'intérieur de la hutte. Il dut sortir pour reprendre son souffle.

Il demanda à Jolom :

– Que se passe-t-il à l'intérieur ?

Le soldat releva la tête et planta son œil dans les yeux de son interlocuteur. Tuzumab comprit immédiatement, comme si Jolom lui avait décrit tous les événements tragiques qui s'étaient produits dans ces lieux.

Tuzumab fut pris de vertige. Des milliers d'images troublantes défilèrent à toute vitesse dans sa tête. Yaloum le soutint pour qu'il ne tombe pas.

– Qu'est-ce qui vous met dans cet état ? lui demanda-t-elle.

– Je viens d'apprendre ce qui s'est passé, dit Tuzumab. Permettez que je m'assoie, il me faut quelques instants de repos.

Tuzumab s'allongea sur le sol et couvrit ses yeux de ses bras. Il respirait bruyamment.

– Vous m'inquiétez, lui dit Yaloum.

– Ça va aller. Je dois récupérer, c'est tout.

Tuzumab tenta de libérer son esprit, mais il n'y parvint pas. Il était hanté par des cris à glacer le sang, des pleurs d'adultes et d'enfants. Des images surgissaient, toutes plus horribles les unes que les autres. Le père de Pakkal était impuissant à chasser ces souvenirs qui ne lui appartenaient pas, il ne pouvait rien pour empêcher les images de déferler.

Il tenta de remplacer ces scènes d'horreur par des images apaisantes, sans succès. Il dut revivre le drame.

Un matin, alors que le village était encore endormi, on était venu réveiller le chef. Le Subunel était revenu ! Ce n'était pas une hallucination, le chef avait vu Iwan de ses propres yeux. Pourtant, il avait été un de ceux qui avaient trouvé son cadavre après qu'un ours en eut fait son repas. Deux de ses soldats personnels avaient enterré Iwan dans la forêt. Ils avaient dû marcher plus de trois jours avant de trouver le lieu qui convenait, le plus loin possible, comme pour éloigner à jamais ce mauvais souvenir. Le corps de la femme était décharné et à quelques endroits, les griffures et morsures de l'ours étaient encore visibles.

Personne n'avait jamais osé toucher à Iwan ou même lui parler. Elle passait ses journées et ses nuits à se promener entre les huttes. Parfois, elle séjournait dans son tronc d'arbre. Le chef du village avait ordonné qu'elle ne passe pas un seul instant sans surveillance, mais pas un soldat ne voulait de cette responsabilité, de crainte d'attirer le mauvais sort sur lui et sa famille.

Les activités du village avaient ralenti. On ne sortait que pour l'essentiel, aller chercher de l'eau à la rivière ou chasser.

Jolom, pour sa part, était écrasé sous le poids de la culpabilité. Il se disait que tout cela était de sa faute. Un matin, lorsqu'il se leva après une nuit d'insomnie et de mauvais rêves, il vit le visage de Iwan au-dessus du sien. Elle lui souriait. Le même jour, le soleil devint bleu, tout ce qui était vivant se mit à mourir lentement et l'eau devint imbuvable. Jolom fut alors persuadé que c'était la faute du Subunel, une histoire qu'il avait pourtant inventée de toutes pièces. Était-il possible qu'elle soit devenue réalité ?

Iwan n'avait plus quitté la hutte que Jolom avait désertée, devant laquelle Yaloum, Tuzumab et Jolom se trouvaient à présent.

Tuzumab se sentit prêt à y pénétrer de nouveau. Ce qu'il allait y trouver dépassait en horreur tout ce qu'il avait imaginé.

•
• •

La situation était ironique : Pakkal avait combattu de nombreux ennemis, tous plus dangereux les uns que les autres, et c'est finalement Loraz, sa monture et sa plus fidèle compagne, qui allait avoir raison de lui.

Le prince de Palenque était immobilisé, les crocs de la mygale géante étaient dressés, prêts à lui injecter un puissant venin ayant pour effet de liquéfier ses organes internes pour que la bête puisse s'en nourrir.

Pakkal n'avait pas peur; il était plutôt résigné. Il ferma les yeux et cessa de résister.

Immédiatement, il sentit un relâchement dans l'attitude de Loraz. Il entendit des cris perçants, puis tomba. Lorsqu'il se retourna pour voir ce qui s'était passé, il vit que la mygale avait été assaillie par les singes hurleurs dont il était devenu le chef, à son corps défendant.

Loraz, visiblement dépassée par ces attaques qui venaient de tous les côtés à la fois, se défendit tant bien que mal. Ils étaient huit sur son dos qui la mordaient et la griffaient. Deux autres étaient sur son thorax et la flagellaient à l'aide de branches. Pakkal vit qu'elle allait frotter ses deux pattes arrière sur son corps.

– Attention ! cria-t-il. Elle va projeter des poils urticants !

Il avait vu juste, c'est ce qu'elle fit. Trois singes en reçurent dans les yeux et la relâchèrent immédiatement.

Loraz en avait eu assez, elle prit la poudre d'escampette. Les deux singes sur son thorax s'y agrippèrent et disparurent avec elle.

Pakkal alla à la rescousse de ses congénères qui souffraient de démangeaisons dans les yeux, qu'ils frottaient avec ardeur.

– Non ! Ne faites pas ça ! Si vous frottez vos yeux, les démangeaisons empireront.

Des hurlements parvinrent de la forêt. C'était des cris de détresse. Les deux singes devaient absolument s'éloigner de la mygale. Sinon, ils allaient finir en repas. Pakkal devrait leur porter secours.

Le prince se tourna vers les singes qui n'avaient pas été atteints.

– Il faut trouver un point d'eau, dit-il, afin qu'ils puissent s'en asperger les yeux.

Mais les singes semblaient incapables de bouger.

– Je vous ordonne de trouver une source ! Maintenant !

Les singes sortirent de leur torpeur et traînèrent les blessés plus loin. Pakkal partit à la recherche de Loraz, qui ne fut pas difficile à trouver. Les deux singes n'étaient plus sur elle, ils lui faisaient face. À l'aide de branches, ils tentaient de l'effrayer et de la faire reculer. Pakkal leur fit des signes avec ses bras :

– Ne restez pas là ! Elle va vous...

Trop tard. La mygale avait bondi en direction d'un des singes et le tenait entre ses pédipalpes.

L'autre, qui n'avait pas compris le danger, continuait de frapper Loraz. Pakkal fit quelques pas dans sa direction, mais s'arrêta lorsqu'il vit la mygale géante s'emparer de l'autre singe. Elle en tenait maintenant deux. Comme si elle avait eu sa leçon, elle n'attendit pas que ses proies arrêtent de bouger pour les mordre. Elle planta ses deux crocs dans la poitrine de l'un des singes, qui poussa un hurlement de douleur.

Pakkal savait que cette morsure était douloureuse, mais pas mortelle. La dose de venin était minime pour tout ce qu'il avait à liquéfier. Mais la mygale était devenue si grosse que le prince craignit que la dose de venin soit proportionnelle à sa taille. Dans ce cas, le singe n'avait aucune chance de survie. Les appréhensions de Pakkal se confirmèrent lorsqu'il vit le singe cesser de se débattre. Son corps devint mou, puis ses bras, ses jambes et sa tête pendirent bientôt au-dessus du sol.

Il restait un autre singe qui, lui, était encore vigoureux. Pakkal ne voulait pas le laisser seul, sachant que ce serait son tour dans quelques instants.

Pakkal échafauda rapidement un plan. Pour que Loraz relâche ses victimes, il fallait s'attaquer à ses quatre paires d'yeux. Il trouva à ses pieds un caillou aux bords tranchants. Il n'était pas parfait, mais ce n'était pas le moment de faire des chichis.

Pakkal grimpa dans l'arbre, avança adroitement sur une branche et lorsqu'il fut certain qu'il allait atterrir au bon endroit, il sauta. Ses calculs étaient bons : il se posa sur le thorax de la mygale. Sans perdre un instant, il s'attaqua aux yeux. Dès qu'il asséna le premier coup, Loraz réagit. Elle fit un saut qui déséquilibra le prince. Dans sa chute, Pakkal échappa le caillou.

Loraz s'éloigna et s'arrêta dans une clairière, là où Pakkal ne pourrait bénéficier du secours des branches. Il allait devoir trouver un autre moyen d'atteindre son thorax.

Pendant qu'il s'affairait à chercher un autre caillou, il reçut un violent coup derrière la tête. Il fut étourdi, comme si on avait posé un voile noir sur ses yeux. Lorsqu'il revint à lui, il vit un singe sans poils au-dessus de lui, armé d'une sorte de sabre, qui s'apprêtait à l'assommer de nouveau. Pakkal roula sur le côté et parvint à éviter le coup.

T'iqiqik, car c'était bien lui, se servait d'une arme recouverte de glyphes dont les côtés étaient incrustés d'obsidiennes tranchantes. Probablement un sabre qu'on lui avait rapporté en guise de présent. Si Pakkal n'avait pas repris ses esprits à temps, il serait mort. T'iqiqik avait mis tant de vigueur dans le coup que son arme s'était coincée, enfoncée de plusieurs centimètres dans le sol. Il tira de toutes ses forces pour tenter de la récupérer.

Pakkal, lui, n'avait aucune arme. Il devait tenter de raisonner l'ex-chef de tribu avant qu'il ne soit trop tard.

– Écoutez-moi, ce n'est pas le moment de nous disputer. Deux de vos amis sont aux prises avec la mygale géante. Si nous n'intervenons pas, ils seront dévorés.

T'iqiqik parvint à récupérer son arme. Satisfait, il retroussa les lèvres et exhiba ses dents pointues.

– Je suis le chef. Personne ne peut me déloger. Pas même un fou qui se prend pour le prince d'une cité.

– Je vous laisse ce privilège. Je ne veux pas m'occuper de votre tribu. Ce n'est pas moi qui l'ai voulu.

T'iqiqik approcha de Pakkal, portant son sabre sur l'épaule.

– Je vais te couper en deux !

Pakkal voulut prendre la fuite, mais il trébucha. T'iqiqik, tenant l'arme au-dessus de sa tête, effectua un bond, prêt à en finir avec ce singe fou qui se disait prince d'une cité maya.

•
• • •

Les yeux de Tuzumab s'habituèrent à l'obscurité des lieux. Il avança lentement, les bras parallèles au sol afin de ne rien percuter.

Son pied droit heurta un objet. Lorsqu'il baissa les yeux, il s'aperçut avec horreur qu'il s'agissait de la tête d'un homme. Il fut encore plus horrifié en voyant que le sol en était jonché et que les têtes voisinaient avec des masses de chair brunes qu'il identifia bientôt comme étant des cœurs humains.

Grâce à ses dons exceptionnels, Tuzumab comprit ce qui s'était passé. Afin de calmer les dieux, dont la colère avait provoqué la résurrection d'Iwan, le chef du village avait sacrifié des humains en ordonnant que leurs têtes et leurs cœurs soient offerts à Iwan en guise de présents. C'était une manière de prouver à la femme à la peau verte qu'on la respectait au plus haut point et qu'on la craignait. On espérait ainsi qu'elle disparaîtrait, entraînant avec elle le soleil bleu. Même s'il n'y avait aucun lien entre la résurrection d'Iwan et la métamorphose du soleil et qu'il s'agissait d'un hasard, le chef du village croyait dur comme fer que les deux événements étaient associés.

Des paysans furent sacrifiés, des hommes d'abord, puis des femmes et des enfants. Voyant que rien ne changeait, il fit tuer des fonctionnaires et des scribes. Mais le soleil bleu continuait de faire des victimes. Le chef, dans sa logique tordue, prit la décision de faire tuer sa famille : ses frères, ses sœurs, leurs enfants, sa femme et ses propres enfants. Un véritable carnage. Enfin, le chef lui-même demanda qu'on lui coupe la tête.

Lorsque les rayons délétères du soleil bleu firent place à ceux du soleil bienfaisant que l'on avait jadis connu, le peuple fut soulagé. Toutefois, Iwan était toujours là. Sa présence semait la consternation dans la population, qui n'avait plus aucun repère. Le sentiment de culpabilité de Jolom en fut exacerbé. Tout cela était de sa faute. L'accident qu'il avait camouflé en meurtre avait provoqué des dizaines de morts.

Car les rumeurs poursuivaient leur triste escalade : des soldats rapportèrent avoir vu un géant à la tête de crocodile ainsi qu'une sauterelle géante accompagnés par deux Mayas. Quand tout cela allait-il se terminer ?

Dans la hutte, l'odeur était épouvantable et il régnait une chaleur étouffante. À son grand étonnement, Tuzumab s'y habitua rapidement. Seules les mouches qui pénétraient dans ses oreilles et dans son nez le dérangeaient vraiment. Au milieu de la hutte, sur une table en bois, Iwan était assise, les jambes repliées sur le corps et la tête posée sur les genoux. Tant de mouches l'entouraient qu'on eut dit qu'elle portait un manteau de cuir qu'on avait rapiécé. En approchant, Tuzumab vit que ce qu'il avait pris pour un manteau étaient des lambeaux déchiquetés de sa propre peau. « Ainsi donc, se dit-il, c'est ce qui arrive aux sak nik nahal qui parviennent à réintégrer le Monde intermédiaire, gracieuseté de mon bon ami le Ooken. » Le lilliterreux connaissait-il le sort réservé aux morts à qui il portait secours ? À constater ce spectacle, on pouvait en douter : c'était un désastre. Le Ooken avait voulu les aider, pas leur faire subir une torture. Il y a parfois des désirs qui ne devraient jamais être comblés.

Lorsque Tuzumab ouvrit la bouche pour s'adresser à Iwan, des mouches s'y précipitèrent. Il les recracha et avant de parler, mit prudemment sa main devant sa bouche :

– Iwan ?

La femme le regarda. Elle n'avait plus que quelques mèches de cheveux sur la tête, plus de lèvres et son nez était une masse informe. Elle ne voyait probablement que d'un œil, l'autre était tout blanc.

– Je m'appelle Tuzumab. Je viens de Palenque, une majestueuse cité loin d'ici. J'ai besoin de votre aide.

Le plus simplement possible, le père de Pakkal lui expliqua ce qui se passait. Elle possédait la graine qui allait devenir l'Arbre cosmique. Sans cette semence, le ciel allait s'écraser sur le Monde inférieur et entraîner la fin de la Quatrième création.

Iwan entrouvrit ses lèvres gercées. Sa langue était noire et il ne lui restait que quelques dents. Elle porta ses doigts à sa bouche et en sortit une graine, parfaitement ronde et minuscule. Il était difficile de croire que cette toute petite semence allait engendrer le plus majestueux de tous les arbres.

Iwan la tint entre son pouce et son index.

Elle parla. Sa voix était très haut perchée, presque enfantine.

– C'est cette malheureuse chose dont vous avez besoin ?

– Oui, fit Tuzumab.

– Savez-vous que si je vous la donne, je vais mourir ?

– Je le sais.

Elle la remit dans sa bouche. Puis elle dit :

– Venez la chercher si elle vous intéresse tant.

Iwan ouvrit la bouche toute grande et de nombreuses mouches allèrent y trouver refuge. Cela ne semblait pas la déranger.

Tuzumab hésita quelques secondes, puis il s'approcha en prenant soin de ne rien heurter. Lorsqu'il fit pénétrer ses doigts dans la bouche d'Iwan, celle-ci referma ses mâchoires. Pas assez fort pour le blesser cependant. Tuzumab fut surpris et retira sa main.

Iwan souffla pour faire fuir les insectes et les regarda s'envoler en ricanant :

– Vous ne croyez tout de même pas que je vais terminer mon fabuleux voyage de cette façon.

Elle tendit les bras et désigna les têtes et les cœurs humains qui recouvraient le sol.

– Vous voyez. Après toutes ces années de misère, j'attire enfin le respect. La vie est tellement belle !

Était-ce de l'ironie ? Entre ce qu'Iwan affirmait et ce que Tuzumab ressentait, il y avait un océan de différences. Elle était désespérée, elle avait dû souffrir énormément, physiquement autant que psychologiquement. Elle voulait quitter ce monde, mais ignorait comment s'y prendre.

Tuzumab prit la parole :

– Le village entier est en état d'alerte et vous ne serez jamais oubliée. Dans deux cents ans, on parlera encore de vous. Vous êtes devenue une légende, indissociable de celle du Subunel. Regardez le massacre qui a eu lieu. Vous avez eu votre revanche. Si vous me remettez la graine, on vous tiendra responsable de la survivance de la Quatrième création.

Iwan observa Tuzumab, qui soutint son regard. Il ouvrit les bras et s'avança vers la femme dans un geste protecteur. Puis il la prit dans ses bras. La peau de la femme était sèche et rugueuse, mais Tuzumab n'y prêta pas attention.

D'abord figée, Iwan allongea les bras, les mit autour de la taille de Tuzumab, et fut secouée de profonds sanglots en l'enlaçant.

– C'est terminé, chuchota-t-il.

Cela dura longtemps, comme si Iwan voulait puiser dans cette étreinte toute l'affection qu'elle n'avait jamais eue. Tuzumab ne la brusqua pas et attendit qu'elle se détache d'elle-même. Alors elle retira la graine de sa bouche et l'offrit à Tuzumab.

– Merci Iwan, dit-il. Au nom de la Quatrième création et de tous ceux qui survivront grâce à vous, merci !

Dès que la femme eut déposé la graine dans le creux de la main de Tuzumab, elle s'effondra. Dans un nuage bleuté, toutes les mouches qui infestaient les lieux quittèrent la hutte en même temps. Tuzumab prit la dépouille dans ses bras. Elle était légère et si sèche qu'il craignit qu'elle ne s'effrite.

•
••••

Avant de se faire bastonner par ce singe halluciné, Pakkal passa à l'attaque. Il se jeta sur T'iqiqik, qui n'eut pas le temps de réagir et reçut la tête du prince en pleine poitrine. Le singe en eut le souffle coupé. Il échappa son arme et atterrit violemment sur le sol. Il essayait de respirer, mais l'air ne passait plus.

Pakkal s'empara de l'arme. Il fut surpris de son poids; elle était très lourde. Il la posa sur son épaule et, en s'approchant de T'iqiqik, il dit :

– Où voulez-vous en venir ? Vous ne gagnerez rien à poursuivre cette lutte.

Le singe ne réagit pas, occupé qu'il était à tenter de reprendre son souffle.

– Cette bataille est inutile, poursuivit le prince. Vous êtes le chef d'une tribu dont je n'ai rien à attendre, je ne veux pas prendre votre place. Tout ce que je désire, c'est récupérer ma mygale et partir.

Le silence du singe était pour Pakkal un assentiment. Il laissa tomber son arme et partit. Il n'avait pas de temps à perdre en vaines disputes.

Il fit quelques pas, puis se retourna, pour s'assurer que T'iqiqik se portait mieux. Il ne le vit pas et ne vit pas non plus le sabre qu'il lui avait laissé. Il fouilla du regard les alentours, observa les arbres. Rien. Pas de trace du singe nu.

Pakkal n'était pas dupe. Il savait que T'iqiqik ne s'était pas contenté de s'enfuir et qu'il préparait une riposte.

Toujours à l'affût, Pakkal chercha des yeux sa mygale. Elle n'était pas loin, elle terminait son repas. Elle avait eu la peau des deux singes et les ingurgitait lentement.

– Loraz…, laissa échapper Pakkal.

Il pensa sagement qu'il valait mieux la laisser finir son repas avant de s'approcher. Serait-elle moins farouche parce qu'elle venait de manger ? Peut-être parviendrait-il à grimper sur son torse ? Et après ? Où devrait-il aller ? Où se trouvait l'œuf à la coquille de jade ? On lui avait pourtant dit qu'il saurait où aller.

Absorbé par ses questions, il en oublia T'iqiqik. Il fut tiré brutalement de ses pensées par une fulgurante douleur à la jambe. Les pierres d'obsidienne avaient pénétré profondément dans sa chair, il s'effondra.

T'iqiqik se mit pousser de grands cris et à sauter autour de sa victime.

– Je suis le chef ! Je ne laisserai personne prendre ma place ! Jamais !

Le singe nu était dans un état second. Il frappait sans cesse le sol de son sabre et n'arrêtait pas de sauter. Plusieurs fois, il cria :

– Je vais te tuer !

Pakkal aurait voulu le calmer, mais la douleur à sa jambe était si vive qu'il n'arrivait pas à reprendre ses esprits.

Il réussit à esquiver un autre coup, puis essaya de se remettre debout. En vain. Sa jambe blessée n'arrivait pas à le porter, et il retomba. En même temps, T'iqiqik lui asséna un autre coup au dos. Cette fois, les pierres d'obsidienne heurtèrent sa colonne vertébrale. Pakkal laissa échapper un cri de douleur.

T'iqiqik n'avait manifestement qu'un seul objectif en tête, détruire celui qui avait osé défier son autorité. Seule sa mort pourrait le satisfaire.

L'affrontement était inégal, songea Pakkal. T'iqiqik était armé alors que lui ne l'était pas. Le fait d'avoir épargné ce singe avide de pouvoir allait peut-être lui coûter la vie. C'était cruel. Cela lui rappela une histoire que sa grand-mère lui avait raconté lorsqu'il était tout petit. Il lui avait demandé pourquoi on tuait les prisonniers reconnus coupables de crimes graves. Selon lui, enfermés, ils ne représentaient plus une menace pour la société. En guise de réponse, la grand-mère de Pakkal lui avait fait ce récit.

Un jour, un scorpion demanda à un jaguar de l'aider à traverser une rivière. Le jaguar lui dit : « Je pourrais te croquer en deux en une seule bouchée. Pourquoi me faire confiance ? » Le scorpion répondit qu'il fallait, parfois, prendre des risques pour arriver à ses fins. Il monta sur le jaguar et traversa la rivière. Puis, sur la rive, il piqua le félin. Alors qu'il agonisait, le jaguar lui demanda : « Pourquoi m'avoir piqué ? Je t'ai aidé à faire ce que tu voulais ! » Le scorpion lui rétorqua : « Je savais que tu pouvais me tuer d'un coup de gueule. Pour ta part, tu savais que je pouvais te piquer mortellement. Dans la vie, parfois on gagne, parfois on perd. Tu as perdu, pauvre idiot ! »

Pakkal allait-il être l'idiot de sa propre histoire ?

Le singe nu continua à frapper Pakkal, qui sentait ses forces faiblir. Il saignait abondamment, sa vision commençait à se brouiller et il était pris de vertiges. Il était de plus en plus faible, la fuite devenait impossible. S'il ne réagissait pas, il allait mourir.

Une lourdeur dans son dos lui rappela qu'il portait toujours le sac contenant le présent qu'Itzamnà voulait offrir à Ah Puch. Dans un ultime effort, Pakkal l'agrippa, l'ouvrit, ferma les yeux et l'exhiba à T'iqiqik.

Celui-ci, comme la première fois qu'il avait regardé le contenu du sac, demeura figé. Il laissa retomber son arme, ouvrit la gueule. Ses dents se mirent à tomber les unes après les autres, puis ce fut au tour de ses griffes. Il recula, se retourna et déguerpit sans émettre un son.

Pakkal, qui n'avait plus l'énergie pour tenir le sac à bout de bras, le laissa retomber.

L'objet qu'il contenait roula sur le sol. Le prince détourna la tête. Il ne devait pas le regarder.

Il s'allongea sur le ventre afin de reprendre des forces. Il remarqua que la terre sur laquelle il était couché était plus sombre et comprit que c'était son sang qui la colorait peu à peu.

Est-ce que T'iqiqik était parti pour de bon ? Acharné comme il l'était, il allait sûrement revenir pour l'achever. Mais le prince n'en fit pas de cas. Plus rien ne lui importait. Pas même la Quatrième création. Il avait tout essayé pour la sauver, il ne se sentait pas coupable. Il avait échoué, tant pis !

Il se détendit et perçut son cœur qui battait dans ses tempes. Il se sentait bien, même en singe hurleur, même s'il était allongé sur le sol, mortellement blessé. Que lui importait qu'il fût perdant ! Il n'avait plus vraiment mal, la douleur s'était engourdie, en réalité, il ne sentait plus ses membres.

L'idée de dormir était la plus séduisante qui soit.

Pakkal ferma les yeux, il n'avait plus la force de tenir ses paupières ouvertes.

•

—

Lorsque Tuzumab sortit de la hutte avec le corps de Iwan dans les bras, il y eut une commotion parmi la foule de curieux accourus sur les lieux. Pour les villageois, le corps que l'étranger tenait sans ses bras était celui du Subunel ! Les soldats prirent une position de défense et quelques badauds poussèrent des cris.

– Elle est morte, dit le père de Pakkal. Vous n'avez rien à craindre.

Jolom, derrière son bouclier, était pétrifié d'effroi. Il dit :

– Elle était déjà morte ! Et elle est revenue d'entre les morts pour nous faire subir sa vengeance.

Yaloum recula, effrayée par la scène.

– Vous n'avez pas à vous inquiéter, lui dit Tuzumab. J'ai la graine.

Désireux de rendre un dernier hommage à cette Maya qui avait tant souffert, Tuzumab se rendit dans la forêt, où les attendait Zipacnà. Il demanda au géant de creuser un trou. Les soldats qui l'avaient suivi se tenaient à distance. Yaloum s'était rapprochée, mais demeurait elle aussi à l'écart.

Après avoir déposé le corps d'Iwan dans la fosse, Tuzumab se recueillit quelques instants. Pendant que Zipacnà ensevelissait le cadavre, Tuzumab prit Jolom à part. Yaloum les accompagna.

Jolom tremblait de peur et de honte. Il était si tendu qu'il n'arrivait pas à formuler une phrase complète.

– Je… Euh… Qu'est-ce que…

– Ne vous inquiétez pas, lui dit Tuzumab. Je crois que vous avez eu votre leçon. Il semble que vous ayez compris à quel point votre mensonge a pris des proportions tragiques. Le secret de votre crime restera entre nous.

Par ses paroles, Tuzumab pensait pouvoir soulager l'angoisse de Jolom, du moins en partie. Mais ce n'était pas le cas.

– Je vais leur dire, balbutia Jolom. Je ne peux plus supporter le poids de ce mensonge. Je dois leur parler afin de me libérer.

Tuzumab opina du chef.

– Vous ferez ce que bon vous semble. Vous seul savez si vous êtes prêt ou non.

– Je ne serai jamais prêt, même le jour de ma mort.

Tuzumab posa une main sur l'épaule du soldat borgne. Il en avait pitié, même si l'égoïsme de cet homme avait coûté la vie à plusieurs personnes.

– Soit. Cependant, vous devez leur dire aussi que la femme à la peau verte n'a rien eu à voir avec le soleil bleu. C'était une pure coïncidence, Iwan n'avait aucun pouvoir sur le soleil.

De toute évidence, Jolom ne le crut pas, mais Tuzumab n'insista pas.

Avant de partir à la recherche de l'eau magique qui allait permettre à la graine de croître rapidement, Tuzumab, Yaloum et Zipacnà prêtèrent main-forte aux villageois pour rassembler les cadavres et les enterrer. S'ils les laissaient pourrir à l'air libre, de graves maladies allaient se déclarer et d'autres décès surviendraient. Zipacnà creusa une profonde fosse où on déposa tous les restes humains, y compris le chef du village et sa famille.

On protesta contre cette méthode considérée par plusieurs comme une hérésie, mais Tuzumab réussit à calmer les contestataires en expliquant que la vie de tous les gens du village dépendait de cette mesure de salubrité. Jolom invita ses concitoyens à venir écouter l'important message qu'il avait à leur livrer. En raison de sa réputation de héros, la population crut qu'il allait prononcer un discours rempli d'optimisme.

Sa confession provoqua un grand remous dans la petite communauté maya. Alors qu'on croyait que le malheur ne pouvait plus s'abattre sur le village, que la limite d'infortune avait été atteinte, Jolom en rajoutait avec son récit. La réaction des villageois fut violente et remplie de colère. Des hommes tentèrent de s'en prendre physiquement à lui. Tuzumab sentit qu'il devait s'interposer pour éviter un autre drame.

– N'y a-t-il pas eu assez de morts dans vos familles ? À quoi vous servirait de punir Jolom ? Ses erreurs ne seraient pas réparées pour autant.

Hélas, l'appel au calme du père de Pakkal ne servit à rien ! On voulut le lapider, on lui lança des objets. Tuzumab comprit qu'il ne servait à rien de leur faire entendre raison, leurs yeux étaient noirs de vengeance.

Quelques villageois s'emparèrent de Jolom, qui ne se défendit pas. Il reçut des coups de pieds et des coups de poings sans tenter de les esquiver. Tuzumab les arrêta d'un geste et entraîna Jolom avec lui.

– Je mérite tout ce qu'ils me font et tout ce qu'ils désirent me faire, murmura le soldat.

– Soyez raisonnable, répliqua Tuzumab en tentant d'éviter les cailloux qu'on lançait dans sa direction. Votre sacrifice n'arrangera rien. Au contraire.

Le temps pressait, il fallait quitter le village sans tarder. Zipacnà dut intervenir pour protéger ses camarades. Tuzumab lui ordonna de repousser les attaquants sans les blesser. Le géant, de ses mains griffues, creusa un large et profond sillon afin d'empêcher les villageois de les rejoindre. Certains d'entre eux essayèrent de sauter d'un bord à l'autre, mais aucun n'y parvint et plusieurs tombèrent dans le précipice. Avant de s'éloigner, Zipacnà les retira du sillon. L'évacuation fut un succès : il n'y eut aucun mort.

Les trois membres de l'Armée des dons, accompagnés de Jolom, s'enfoncèrent dans la forêt. Lorsqu'ils furent suffisamment loin du village, Tuzumab s'arrêta pour faire le point.

Il sortit la graine d'une poche de son pagne et l'examina de près.

– C'est cette toute petite semence qui deviendra le prochain Arbre cosmique, fit-il.

Il déposa la graine au creux de la main de Yaloum, qui l'observa avec attention.

– C'est difficile à croire.

– Oui, et pourtant…

Il chercha Jolom du regard et le vit qui marchait dans la direction d'où ils étaient venus. Il courut vers lui et le rattrapa.

– Que faites-vous ?

– Je retourne au village.

– Ne soyez pas stupide. Nous sommes parvenus à vous sortir de ce mauvais pas, c'est votre chance de commencer une nouvelle vie. Mon fils a fondé l'Armée des dons. Vous pourriez lui être utile. Malgré votre handicap, vous semblez être un bon soldat. Restez avec nous.

Jolom ne dit rien. Il se retourna et continua son chemin. Tuzumab le regarda partir. Il ne pouvait tout de même pas le forcer à les suivre !

Il rejoignit Yaloum et Zipacnà, sauta sur le soulier du géant et dit :

– Prochaine étape, le bulbutik.

Lorsque Pakkal rouvrit les yeux, il eut un mouvement de recul. À un bras de distance, il vit un drôle d'insecte géant penché sur lui. Puis il entendit une voix qui semblait venir de l'intérieur de la bestiole.

– N'ayez crainte, fit la voix. Je suis venu vous aider.

Mais le prince était si confus qu'il voulut fuir. Des douleurs intenses l'en empêchèrent.

– Vous ne devriez pas bouger. Je n'ai pas encore terminé. Il vous a sérieusement blessé.

Pakkal distingua devant lui une abeille géante. Elle portait des ailes, une tunique jaune et noire, mais marchait sur deux jambes humaines qui auraient pu être celles d'un Maya.

Devant l'air hébété de Pakkal, l'abeille géante lui dit :

– Vous ne me reconnaissez pas ?

– Nous nous sommes rencontrés, là-haut, il n'y a pas si longtemps, dit-elle en montrant le ciel.

Oui ! Ça lui revenait ! C'était Ah Mucen Cab, le dieu du Miel et des Abeilles ! Que faisait-il là ?

– Je suis venu vous prêter main-forte. Itzamnà m'a demandé de vous accompagner jusqu'au nid de l'aigle au bec de jade.

Pakkal n'avait émis aucun son et Ah Mucen Cab lui avait répondu... Comment était-ce possible ?

– Ne vous affolez pas, je vous entends penser, dit le dieu. Nous sommes très sensibles aux vibrations dans l'air. Lorsqu'il vous vient une idée, votre cerveau émet des ondes que je peux capter.

« C'est incroyable », se dit Pakkal.

– Oui, c'est effectivement incroyable. Mais croyez-moi, c'est parfois bien embarrassant ou carrément lassant. Écouter les pensées des gens est souvent d'un ennui mortel. Surtout quand on vit auprès de primates qui n'ont qu'une idée en tête, sentir le derrière de leurs camarades. Allez, allongez-vous sur le sol. Toutes vos blessures doivent être guéries au moment où nous partirons.

Pakkal s'étendit sur le dos. Ah Mucen Cab observa minutieusement tous les membres du prince. Sur chacune de ses blessures, il versa un peu de miel qu'il puisait dans un petit contenant qui ne semblait pas avoir de fond. Le miel agissait comme un onguent magique, la plaie guérissait instantanément.

– Vous n'auriez pas dû laisser ce singe en vie, fit le dieu. Ces bêtes sont zélées. Je comprends que tuer n'est pas joli, mais parfois, il faut penser aux conséquences.

L'abeille géante continua à le badigeonner de miel. Pakkal se demanda pendant combien de temps il allait devoir rester couché.

– Je vous comprends d'être impatient, dit Ah Mucen Cab. J'ai presque terminé.

Le dieu fit une dernière vérification. Lorsqu'il fut certain qu'il n'y avait plus de plaie à vif, il annonça :

– Voilà ! Vous êtes maintenant rétabli.

Pakkal se releva, non sans difficulté. Sa fourrure était maintenant enduite de miel, de sorte qu'elle se collait aux branches et se couvrait de brindilles. De plus, il avait du mal à se mouvoir, c'était fort désagréable.

Ah Mucen Cab leva le bras.

– Là-bas, vous pourrez vous laver. Il y a une rivière.

Alors qu'il se dirigeait vers la source d'eau, Pakkal se rappela qu'il avait échappé le présent qu'il devait offrir à Ah Puch. S'il le regardait, même par mégarde, il allait le regretter !

– Ne vous inquiétez pas, fit l'abeille. Je l'ai remis dans le sac. Aucun risque que votre regard tombe dessus.

Chemin faisant, Pakkal croisa des singes de la tribu de T'iqiqik. Il vit qu'ils encerclaient leur chef, lequel était couché sur le côté, roulé en boule. Il regardait devant lui et clignait des paupières. «On ne peut pas le laisser dans cet état», se dit Pakkal.

Ah Mucen Cab, qui l'avait suivi, déclara :

– Vous, les Mayas, êtes des sentimentaux. Ce singe est parvenu à vous faire perdre la moitié de votre sang en vous agressant avec une arme incrustée de pierres tranchantes et vous songez à lui sauver la vie ! Venez. Nous n'avons plus un instant à perdre. Le mariage sera bientôt célébré. Allez à la rivière, je m'occupe de lui.

Pakkal plongea dans la rivière et frotta vigoureusement sa fourrure. Lorsqu'il eut terminé ses ablutions, il songea que l'eau devait être sucrée en raison de tout ce miel qu'il y avait laissé.

À son retour, il vit que Ah Mucen Cab était à côté de T'iqiqik, en train de lui administrer un traitement choc. Lorsque les autres singes avaient constaté que l'abeille géante se dirigeait vers leur chef en état de torpeur, ils s'étaient enfuis en poussant des cris de peur. Ah Mucen Cab versa un peu de miel dans la bouche de T'iqiqik et ses dents réapparurent. Lorsqu'il badigeonna le corps en entier, il vit que les poils repoussaient à vue d'œil, mais qu'ils n'étaient plus noirs, mais blancs.

Malgré ces soins, T'iqiqik restait allongé sur le sol.

– Il va s'en tirer, dit le dieu. Il est juste un peu sous le choc. C'est compréhensible après ce qu'il a vu. Moi-même j'ai eu de la difficulté à remettre cette ignoble chose dans ce sac.

Le dieu du Miel le tendit à Pakkal.

– C'est à vous de l'apporter. Assez discuté, nous devons partir maintenant.

Le prince songea à sa mygale.

– Oubliez-la pour l'instant. De toute façon, jamais elle ne vous laisserait l'approcher. Et elle va muer très bientôt. Les deux singes ont été son dernier repas avant longtemps.

Pakkal était désolé de devoir quitter sa mygale. Il se dit que dès que tout allait être terminé, il allait la récupérer.

Ah Mucen Cab invita la prince à grimper sur son dos, entre ses deux paires d'ailes.

– J'espère que vous n'avez pas peur des hauteurs.

Le voyage se déroula sans anicroche. Ils passèrent au-dessus de cités dont plusieurs étaient inconnues du prince. Il remarqua qu'elles avaient toutes été désertées.

– Les rayons du soleil bleu ont causé d'énormes dégâts, dit Ah Mucen Cab. Ils ont tué beaucoup de Mayas, et en ont affecté d'autres. Les gens se terrent, les gens ont peur. C'est ce qui est plus grave.

Tout en parlant, l'abeille ralentit son vol pour se poser. Elle venait d'apercevoir des choses suspectes. Elle s'arrêta devant une ruche qu'elle ouvrit délicatement. Sur les alvéoles remplies de cire, Pakkal aperçut de nombreux cadavres d'abeilles.

– Plus de la moitié de mes amies sont mortes. C'est une catastrophe. Beaucoup de travail m'attend.

Ah Mucen Cab souffla sur les abeilles engourdies qui, ranimées par son souffle, reprirent vie. Pakkal vit leurs ailes se mettre à vibrer et à frétiller avant qu'elles ne s'envolent.

– Tout cela est si fragile, dit le dieu du Miel en observant le nuage se disperser.

Il regarda le prince.

– Grimpez de nouveau sur mon dos. Nous sommes presque arrivés.

Tazumal était une petite cité, deux fois et demi plus petite que Palenque, considérée alors comme une ville de taille moyenne. Malgré cela, elle était riche en histoire, les premiers habitants s'y étant établis plus de mille ans avant notre ère. Les Olmèques, ancêtres des Mayas, y avaient laissé quelques souvenirs dont des statues représentant d'immenses têtes.

Xibalbà avait décidé d'y rester en raison de sa petitesse : moins il y avait de citoyens et plus le processus pour faire table rase allait être court. Pour Ah Puch, il n'était pas question de chasser les citoyens; il était plus simple et efficace de les tuer.

Lorsque Xibalbà mit les pieds à Tazumal, il y eut effectivement une boucherie. Les chauveyas et les emperators ne firent aucune discrimination : femmes, enfants, adultes et vieillards, tous furent victimes de leur sauvagerie. En moins d'une demi-journée, la moitié de la population fut exterminée. Par chance, l'autre était parvenue à fuir. La cité n'était plus que désolation et amas de cadavres, il y régnait une atmosphère dans laquelle Xibalbà se complaisait.

Tazumal signifie « temple où les victimes sont brûlées ». La cité avait hérité de ce nom en raison d'une cruelle tradition qu'un roi avait instaurée en pratiquant des sacrifices humains. Avant d'arracher le cœur du persécuté et de l'offrir au dieu dont il désirait obtenir une faveur, il le brûlait vif et contemplait le supplice. Avant que la victime ne perde conscience, on lui jetait des seaux d'eau pour éteindre le feu. Puis on le sacrifiait en bonne et due forme.

Les agissements des rois à cet égard étaient d'une cruauté sans nom. Aussi, la réputation de Tazumal ne prit-elle qu'une centaine d'années avant d'être connue partout dans le monde maya comme l'une des plus barbares.

Un jour, cependant, un roi prit le contrôle de la cité et décréta que la tradition d'immoler par le feu allait être abandonnée. Il y eut beaucoup de résistance, surtout de la part des aînés, mais le souverain tint bon. À l'âge de sept ans, lors d'une cérémonie qui préparait la venue des Jours mauvais, en heurtant une torche, ses vêtements avaient pris feu et quatre-vingt-dix pour cent de sa peau avait été brûlée au troisième degré; seuls son visage et ses pieds avaient été épargnés.

Ses chances de survie, selon le praticien de la cité, auraient été pratiquement inexistantes. La nuit, il se réveillait dans des douleurs atroces; le jour, il souffrait le martyre.

Malgré de sombres pronostics, il avait survécu. On le surnommait Ni'kowik ou « Celui qui est en feu ». À la mort de son père, Ni'kowik prit les rênes de Tazumal.

Plus de vingt ans après son accident, il lui arrivait encore de souffrir atrocement, surtout lorsqu'il s'exposait aux rayons du soleil. Pour cette raison, il passait ses journées à l'intérieur et ne sortait que le soir.

Ni'kowik fut le premier à apercevoir les chauveyas se diriger vers sa cité. Comme il le faisait souvent, il passait beaucoup de temps dans le Temple des étoiles, un édifice d'une vingtaine de mètres, large à la base, que les architectes recouvraient annuellement de stuc rouge, après la saison des pluies. Dans la pièce la plus haute, il faisait frais et Ni'kowik pouvait observer les oiseaux à sa guise. C'était son passe-temps favori. À l'aide de son scribe personnel, il consignait dans des codex le nom de tous les oiseaux qu'il voyait. Il préférait passer des heures à repérer un nouvel oiseau que de s'occuper de la gestion des affaires quotidiennes de la cité, dont les fonctionnaires se chargeaient très bien.

Mais les derniers jours avaient été pénibles avec ce soleil bleu qui tuait la vie à petit feu. Ni'kowik avait passé beaucoup plus de temps à prier qu'à observer les oiseaux. Il avait fait organiser plusieurs sacrifices qui, finalement, avaient porté leurs fruits : les rayons du soleil étaient redevenus de la couleur du maïs. À son grand bonheur, il avait pu reprendre ses séances d'observation.

Dans les arbres aux alentours de la cité, Ni'kowik remarqua d'étranges oiseaux perchés sur les branches. Il chargea un soldat d'en attraper un et de le lui rapporter, mais on retrouva peu de temps après son corps déchiqueté au pied d'un arbre.

C'est ainsi qu'il découvrit qu'il ne s'agissait pas d'oiseaux, mais de chauves-souris géantes très agressives qui n'hésitaient pas à attaquer lorsqu'on les approchait. Ni'kowik ordonna à ses soldats de se mettre en position de défense. Mais il était trop tard : des emperators, moins dociles que les chauveyas, envahirent la cité.

Ni'kowik assista, impuissant, à la déchéance de sa cité millénaire. Il vit de ses yeux un géant à la tête de tortue écraser des citoyens comme s'il s'agissait de vulgaires insectes nuisibles. Il parvint non sans mal à se réfugier, avec son scribe, dans une des cachettes du Temple des étoiles. La nuit venue, il envoya son scribe en patrouille de reconnaissance. L'homme ne revint jamais. Le roi de Tazumal demeura fin seul.

L'urgence de sortir était forte, parce que la soif et la faim le tenaillaient. Sa cachette n'était pas conçue pour une longue période, c'était ni plus ni moins qu'un réduit où on gardait des armes en réserve.

Ni'kowik s'empara d'une lance, d'un arc et de flèches. Il ne se souvenait plus de la dernière fois où il avait utilisé ces armes. Aux funérailles de son père, il avait planté une lance dans une peau de jaguar pour illustrer symboliquement le combat entre le jour (lui) et la nuit (le félin). Comme ennemi redoutable, on avait déjà vu pire.

La peur au ventre, Ni'kowik avança dans les rues désertes de la cité. Il se pencha au-dessus d'une des canalisations qui amenaient de l'eau potable en ville et but jusqu'à ce qu'il ait l'impression que son ventre allait exploser. C'était si bon ! Il se coucha sur le dos. Ce qu'il vit alors n'avait rien à voir avec les étoiles : il aperçut un scorpion géant qui faisait claquer ses pinces. Il se releva, banda son arc et tira des flèches dans sa direction. Mais les pointes ne pénétrèrent pas le thorax de l'emperator. Le scorpion fit tourner la pointe de sa queue. Il s'apprêtait à mener une attaque avec son dard lorsqu'il fut interrompu :

– Non !

Un oiseau géant, à la tête squelettique, s'approchait. Il s'agissait de Vucub Caquiz, le père des géants Zipacnà et Cabracàn. Il somma l'emperator de s'en aller, mais ce dernier, au lieu de lui obéir, déploya une de ses ailes et, comme s'il s'agissait d'un couteau, la fit passer sous le cou du scorpion qui en perdit la tête. Pendant quelques instants, ses pinces claquèrent de manière frénétique, puis il se laissa choir.

– C'est donc vous le roi de la cité, dit Vucub Caquiz. On m'a dit que vous aimiez les oiseaux. Que pensez-vous de moi ?

Tout en lui parlant, il s'empara de Ni'kowik et l'entraîna dans une hutte qui servait d'habitat à un marchand de poterie. La hutte était entourée de chauveyas. Vucub Caquiz le poussa dedans, sans explication.

Ni'kowik y passa de longues minutes, puis des heures, et s'endormit. Il fut réveillé par l'arrivée d'une prisonnière. Une jeune fille qu'il n'avait jamais vue auparavant.

– Bonjour, dit-elle en lui faisant un sourire circonspect. Je m'appelle Laya.

La jeune fille observa sa peau brûlée et lui demanda :

– C'est bien vous que je dois épouser ?

⁘

Le nid de l'aigle au bec de jade était situé au sommet d'une paroi rocheuse d'une hauteur considérable. Pakkal, malgré la souplesse de son physique de singe hurleur, se demanda comment il pourrait l'atteindre sans l'aide de Ah Mucen Cab. La seule manière d'y accéder sans risquer sa vie était de voler.

Il constata que l'oiseau n'y était pas.

– Nous avons effectivement de la veine, dit le dieu du Miel. Mais il ne tardera pas à revenir. Il faut faire vite.

Ah Mucen Cab se rapprocha du nid, étonnamment constitué non pas de branchages et de terre mais bien d'ossements de toutes sortes. Pakkal aperçut même quelques crânes d'animaux dont la chair était encore rattachée aux os. L'œuf à la coquille de jade trônait en plein centre du nid.

– Je vais voler le plus près possible, dit l'abeille géante. Dès que vous le pourrez, vous prendrez l'œuf, d'accord ?

Pakkal poussa un grognement et avec une facilité déconcertante, il mit la main sur l'objet tant convoité.

C'était effectivement trop facile.

– Ne nous réjouissons pas trop vite, répondit Ah Mucen Cab. L'oiseau peut revenir d'un instant à l'autre. S'il découvre que nous avons touché à son nid, préparez-vous à…

Comme s'il avait provoqué la malchance en évoquant le pire, le dieu vit apparaître, au loin, un oiseau aux ailes immenses qui venait dans leur direction.

– Bouchez-vous les oreilles ! ordonna-t-il à Pakkal.

Le prince voulut obtempérer, mais comment aurait-il pu se boucher les oreilles tout en s'agrippant au dos d'une abeille ?

Il y eut un cri. Puis le prince ressentit une douleur vive au ventre, comme si on venait de lui asséner un coup de poing en plein sternum. Il ne pouvait plus respirer.

Ah Mucen Cab perdit le contrôle et piqua droit vers le sol. Pakkal souffrait trop pour s'inquiéter. Il avait l'impression qu'on s'était emparé de ses bras, de ses jambes et de sa tête et qu'on les tirait dans des directions opposées. Un peu plus et ses membres allaient être arrachés.

Le dieu du Miel battit des ailes avec plus de vigueur, mais il ne réussit qu'à ralentir l'inévitable.

Sans trop de dommages, ils atterrirent dans des buissons.

– Comment allez-vous ? demanda Ah Mucen Cab en chuchotant.

– J'ai quelques éraflures, je crois. Ça va aller.

Pakkal fut étonné par sa réponse. Il avait *parlé*.

Il regarda la main qui tenait l'œuf à la coquille de jade. Elle était redevenue celle d'un Maya de douze ans !

– Je suis comme avant ! s'exclama Pakkal. J'ai retrouvé mon corps, je suis redevenu normal !

– Ne parlez pas si fort, fit Ah Mucen Cab. Il ne faut pas que l'aigle nous trouve.

Pakkal toucha ses jambes, son torse et sa tête. Il ne se trompait pas, il n'était plus un singe hurleur. C'était de l'histoire ancienne et il en était ravi.

Le dieu, en se frayant un chemin entre les buissons, s'approcha de Pakkal.

– Ce n'est pas une bonne nouvelle. Vous deviez être encore en singe pour pouvoir entrer dans Tazumal. En étant un Maya, ce sera beaucoup plus difficile. Oh, attention !

Ah Mucen Cab mit la main sur la tête du prince. En tentant de lui éviter le choc, il se heurta de plein fouet à l'aigle au bec de jade. L'impact les projeta plus loin, mais ni l'aigle ni le dieu ne touchèrent le sol, tous deux continuant à battre des ailes en s'empoignant.

Pakkal, sans pouvoir venir en aide à son allié, assista à une bagarre dans les airs. L'aigle avait planté ses serres aux griffes acérées dans la poitrine de l'abeille et tentait de la blesser avec son bec tandis que Ah Mucen Cab retenait l'aigle par le cou pour le tenir à distance.

Soudain, comme si l'aigle venait d'être frappé par la foudre, il cessa de lutter et devint mou. Le dieu le rattrapa avant qu'il ne tombe, atterrit avec adresse et déposa l'oiseau sur le sol.

– Que s'est-il passé ? demanda le prince.

– Je crois qu'il n'a pas aimé mon petit traitement.

Tout en parlant, Ah Mucen Cab exhiba un dard long et pointu situé au bout de son abdomen, lequel se rétracta aussi rapidement qu'il était apparu.

Pakkal observa l'aigle.

– Il est mort ?

Ah Mucen Cab décrocha la fiole de miel qu'il avait à sa ceinture.

– Non. Juste endormi.

Il versa du miel sur ses ailes.

– De cette façon, il n'aura pas le temps de nous rejoindre. Nous devons laisser l'œuf ici.

Le dieu pointa le bas de la falaise.

– Allez le porter là-bas. Il le retrouvera facilement.

Pakkal obéit, il alla déposer l'œuf à l'endroit où l'abeille géante le lui avait indiqué. Mais au dernier instant, il le reprit et le glissa dans la poche de son pagne. Il n'avait jamais vu une pièce de jade d'une aussi grande beauté. Et ça lui ferait un joli souvenir de ses aventures.

Avant de rejoindre Ah Mucen Cab, Pakkal fit le vide dans sa tête. Sachant que le dieu pouvait capter ses pensées, il ne devait pas réfléchir à ce qu'il venait de faire. Il devait oublier l'œuf.

Une fois les ailes de l'aigle enduites de miel, Ah Mucen Cab remit le bouchon sur sa fiole.

– Vous avez disposé de l'œuf ?

Pakkal fit oui de la tête et pensa immédiatement à autre chose.

– Très bien. Rendons-nous maintenant à Tazumal. Il nous faudra trouver un moyen pour entrer dans la cité sans nous faire remarquer.

Pakkal grimpa sur son dos et ils s'envolèrent en direction de la cité où devait avoir lieu le mariage de la princesse Laya. Le prince s'était préparé à un long voyage, mais l'envolée fut brève. Ah Mucen Cab amorça sa descente peu après l'envol. Pour ne pas attirer l'attention, il préférait atterrir dans la forêt, à bonne distance de la cité.

– Nous devons nous tenir loin des chauveyas et des emperators et éviter les dieux malveillants et leurs sbires. J'ignore comment nous allons nous y prendre, mais il faut agir dès maintenant. La cérémonie va bientôt débuter. Une fois qu'ils seront mariés, il sera trop tard. Les habitants de la Cinquième création, les sak nik nahal du Monde intermédiaire, reprendront leur forme première. Ils seront encore plus troublés qu'auparavant, sauf que cette fois, tout le monde pourra entrer en contact avec eux. Beaucoup sont fort perturbés et ont des envies meurtrières. Leur retour sera catastrophique, les Mayas n'y survivront pas longtemps.

Pakkal serra les mâchoires. Plus que toutes ces conséquences désastreuses envisagées, c'était l'idée que Laya se marie qui lui semblait la plus contrariante.

– Très bien, fit-il. Allons troubler leur petite fête.

Le bulbutik, cette eau que l'on trouvait exclusivement sur Chak Ek', avait été pour plusieurs l'enjeu d'une quête qui n'avait jamais abouti. Il s'agissait, jusqu'à preuve du contraire, d'une légende. On disait d'une personne qui en avait connu une autre, laquelle avait connu quelqu'un qui avait peut-être vu une personne ayant du bulbutik en sa possession. Mais aucune preuve concrète de sa réalité ne le confirmait. Ce n'était que des ouï-dire !

Bien qu'une religion prônant l'existence de trois mondes fût à la base de la pensée maya, quelques hérétiques osaient remettre en question cette croyance. Et pour faire valoir leur propre certitude selon laquelle il existait un quatrième monde, ils n'entrevoyaient qu'une solution : mettre la main sur ce liquide provenant de Chak Ek'. Si un jour ils y parvenaient, c'est toute la structure hiérarchique de la société qui allait s'écrouler, entraînant la perte de tous ses dirigeants.

Voilà pourquoi on n'entendait jamais quiconque afficher ses convictions en l'existence du bulbutik. Les mécréants qui avaient eu l'outrecuidance de le faire publiquement voyaient leur vie menacée. Pour survivre, ils devaient s'exiler. Ils étaient considérés comme des simples d'esprit ou des fous furieux représentant un danger pour l'équilibre des mondes; seule la mort pouvait les « guérir » et empêcher une potentielle contamination des esprits.

Voilà pourquoi Pak'Zil avait voulu quitter ses compagnons de voyage. En sa qualité de scribe, donc de porte-parole de la religion maya, il ne pouvait admettre l'existence du bulbutik, contrairement à Tuzumab et à Yaloum, qui étaient des esprits libres capables d'ouverture. Pour eux, le bulbutik était la seule solution capable d'assurer la renaissance de l'Arbre cosmique.

Tuzumab, avec ses nouvelles facultés, pressentait que le bulbutik existait. Il ignorait les origines réelles de ce produit, mais savait qu'un Maya en avait en sa possession. Qu'il l'ait trouvé ou non sur Chak Ek' n'avait aucune importance à ses yeux.

Une image d'une grande précision était apparue à son esprit : le bulbutik était dissimulé dans une caverne qui se trouvait derrière un rideau d'eau. Avec cette étrange assurance que lui conférait son don exceptionnel, Tuzumab conduisit Zipacnà et Yaloum en face d'une chute d'eau.

– C'est ici, fit Tuzumab lorsqu'ils s'arrêtèrent devant le bruissant rideau d'eau.

– Je vous accompagne, dit Yaloum.

– Laissez-moi d'abord explorer les lieux, répliqua Tuzumab.

– Vous croyez qu'il y a du danger ?

Tuzumab ferma les yeux et prit une profonde inspiration.

– Non. Je ne sens rien dans ce sens. Venez avec moi.

Après avoir observé attentivement les lieux, Tuzumab demanda au dieu des Montagnes d'introduire sa main gigantesque dans la chute afin de pouvoir détecter l'entrée de la caverne. Le géant la découvrit dès son premier essai et fit monter Tuzumab et Yaloum sur sa main. De l'autre, il forma un dôme pour les protéger du jet puissant et les deux Mayas passèrent de l'autre côté.

Lors de ses diverses pérégrinations, Tuzumab avait vu bien des cavernes. Leur taux d'humidité était généralement si élevé qu'il formait sur la peau une légère buée. Il fut surpris de rester au sec et de voir que les parois de la caverne ne suintaient pas.

Il avança prudemment, suivi de Yaloum. Il leur fut difficile de voir où ils allaient, l'endroit devenant de plus en plus obscur au fur et à mesure qu'ils avançaient. Yaloum heurta de l'épaule un objet qui se fracassa sur le sol.

– Est-ce que ça va ? demanda Tuzumab.

– Oui. Mais je viens de faire tomber quelque chose et je n'ai aucune idée de ce que c'est.

Au même instant, une boule de feu apparut devant eux. Au début, ils furent saisis de frayeur, mais au bout de quelques minutes ils comprirent que c'était une sorte de flambeau qui ne constituait pas une menace.

Tuzumab et Yaloum regardèrent autour d'eux. Lorsque leurs yeux s'habituèrent à la nouvelle source de lumière, ils constatèrent qu'ils étaient entourés par des dizaines de momies.

– Joli comité d'accueil, fit Yaloum.

Elle redressa la chose qu'elle avait fait tomber. C'était le corps momifié d'un homme grand dont le visage était percé à plusieurs endroits : à la lèvre inférieure, au travers du nez, dans le septum et dans chacune des paupières. La peau de la momie était pareille à du cuir tanné. Yaloum savait que pour obtenir un tel état de conservation, le corps avait été protégé des insectes. Il était impossible de conserver un cadavre dans une caverne, à l'air libre.

La bouche de l'homme et ses yeux étaient ouverts, comme s'il avait été surpris.

Toutes les momies étaient apparemment aussi bien conservées et toutes étaient debout. Tuzumab les compta : il y en avait seize. Toutes étaient des hommes, sauf une qui portait un jeune enfant dans ses bras, lui aussi momifié, le visage crispé de peur. Tuzumab posa la main sur le front de celle qui avait été la mère, comme pour la consoler.

– Elle n'a pas pu vivre avec sa décision. Je lui avais pourtant dit que ça pouvait arriver.

Tuzumab et Yaloum se retournèrent. Ils virent un très petit homme s'avancer vers eux. Il avait un ventre proéminent, une tête disproportionnée et un nez aplati, des traits semblables à ceux des nains. Dans l'univers des Mayas, les nains pouvaient avoir plusieurs fonctions : ils étaient parfois bouffons, goûteurs, mangeant tout ce qui allait être servi comme nourriture au roi ou à la reine, s'occupaient des présents offerts et pouvaient même agir comme scribes. On disait d'eux qu'ils étaient les messagers de l'Inframonde. Les familles royales les chérissaient, car en les côtoyant, elles avaient l'impression d'apprivoiser Xibalbà et de lui faire une faveur en prodiguant un traitement spécial à ses représentants.

Le nain qui était devant eux portait un bandeau autour de la tête, représentant un crâne.

– Bonjour, fit Tuzumab. Nous sommes à la recherche…

– Du bulbutik, fit le petit homme.

Tuzumab approuva de la tête et s'approcha de lui.

Mais le petit homme paraissait contrarié.

– Personne ne vient me voir. C'est toujours cette maudite eau qu'on vient me demander. Vous ne comprendrez donc jamais !

Cela n'avait pas été dit sur un ton de reproche, c'était plutôt une constatation d'où s'échappait de la lassitude. Yaloum demanda :

– Qu'est-ce que nous ne comprendrons jamais ?

– Bien des choses, ricana le petit homme.

– Le bulbutik, fit Tuzumab. Pouvez-vous nous en donner ?

– Bien entendu.

Le nain désigna les momies.

– Mais vous deviendrez un autre de ces bibelots. Si ça ne vous dérange pas de faire partie de ma collection.

Ni'kowik répondit à Laya que ce n'était pas lui qu'elle allait épouser.

– Je suis le roi de Tazumal. On m'a fait prisonnier.

Laya observa ses bras.

– Qu'a-t-on fait à votre peau ?

Ni'kowik fut décontenancé par la question. C'était la première fois qu'on osait la lui poser. Tout le monde dans la cité était au courant du traumatisme qu'il avait subi durant son enfance. Et aucun étranger n'aurait osé lui poser une question aussi franche et aussi directe.

Ni'kowik n'en fut nullement offusqué. Au contraire, il trouva la curiosité de Laya rafraîchissante, ce qui le changeait des airs affectés et obséquieux de sa cour.

– J'ai été victime d'un accident quand j'étais enfant. Une torche a étendu son feu sur mes vêtements.

Laya pencha la tête.

– Je suis désolée.

– Ah ! C'est donc vous qui m'avez enflammé ! Il y a si longtemps que je cherchais la coupable.

Laya scruta le visage de Ni'kowik, comme pour savoir comment interpréter cette répartie. Elle comprit à son sourire en coin qu'il s'agissait d'une blague.

– Que faites-vous ici ? lui demanda-t-il.

– J'ai été capturée par Xibalbà. Ils ont parlé de mariage, de la couleur de mes cheveux, mais rien n'est clair pour moi. Ils sont fous, ces dieux du Monde inférieur.

– Ils vous ont maltraitée ?

– Non. Je dirais que c'est plutôt moi qui les ai maltraités.

Elle fit un clin d'œil au roi avant de se diriger vers la porte.

– Que faites-vous ? demanda Ni'kowik.

– Ça ne se voit pas ? Je m'évade.

– C'est impossible ! La hutte est entourée de monstres.

– Ce sera ma cinquième tentative. Cette fois, ils ne me rattraperont pas. J'ai un plan.

– Les quatre autres fois, vous n'en aviez pas ?

– Non. J'y allais au hasard, selon mon humeur.

– Et ils ne vous ont pas blessée ?

– Non. Ils me ramènent toujours dans une hutte sans discuter. Ils tiennent à moi. Vous connaissez bien la cité, n'est-ce pas ?

Le roi opina du chef.

– Dans le cas où je voudrais fuir, quelle direction devrais-je prendre ? Je suis un peu perdue.

Des manières de quitter la ville, il y en avait plusieurs. Il s'agissait de connaître les sorties qui n'étaient pas surveillées. Ni'kowik en énuméra quelques-unes, celles qu'il croyait plus faciles de repérer. Laya l'interrompit :

– C'est trop compliqué, fit-elle. Venez avec moi.

– Maintenant ? Vous venez d'arriver !

– Oui, maintenant. Ils ne me croiront pas assez cinglée pour tenter de m'évader si tôt.

Elle lui tendit la main. Ni'kowik fut ému. C'était la première fois qu'une femme osait le toucher. Il posa sa main dans la sienne. La paume de la jeune fille était chaude. Le contact de sa peau lui fit oublier tout danger. Il l'aurait suivie partout, quelles que soient les embûches.

– J'espère que vous courez vite, lui dit-elle.

Elle passa la tête dans l'antichambre de la hutte pour y jeter un coup d'œil et la ramena précipitamment.

– Cette fois, ils m'ont prise au sérieux. Les chauves-souris géantes, ça pouvait toujours aller. Mais ça grouille d'emperators et je déteste les scorpions! Ils me donnent la chair de poule, ajouta-t-elle, en montrant son bras au roi.

Un frisson de dégoût la parcourut.

Le roi ne voulait pas décevoir Laya. Il devait trouver une solution.

– Et si nous faisions diversion? dit-il. Si je parviens à attirer leur attention, vous pourrez vous enfuir. Nous nous donnerons un point de rencontre.

Laya inspecta les murs de la hutte. Le roi la regarda, interloqué :

– Que faites-vous ?

Laya savait que dans certaines cités, les entrepreneurs ajoutaient à la hutte une sortie indétectable de l'extérieur. Très pratique en cas d'urgence.

– La diversion, c'est trop dangereux, répliqua-t-elle. Les emperators sont impitoyables. S'ils vous mettent la main dessus, ils vous découperont en vingt morceaux et vous dévoreront en moins de temps qu'il n'en faut pour le dire. Car il n'y a plus de palais royal pour que vous y trouviez refuge.

Le roi fut vexé par la rebuffade de Laya. On ne lui disait jamais non. Même ses idées les plus saugrenues étaient accueillies par des félicitations. Il croisa les bras sur sa poitrine.

– Alors je reste ici !

– Bonne idée, fit Laya. C'est trop risqué pour un roi de votre genre.

Ni'kowik se braqua.

– Que voulez-vous sous-entendre par un *roi de mon genre ?*

– Rien. Ne vous fâchez pas. Je connais un prince qui n'a pas froid aux yeux et qui m'aurait accompagnée volontiers.

Laya, qui continuait son inspection, émit un cri de plaisir : au milieu de la paille tressée se trouvait une sortie d'urgence. Elle défit les cordons qui retenait la porte et l'ouvrit lentement. Elle jeta un coup d'œil à l'extérieur et regarda le roi.

– Je crois que c'est bon. Je vais sortir par ici sans attirer l'attention.

– *Nous* allons sortir, fit le roi, blessé dans son orgueil. Je viens avec vous.

Quelques emperators montaient la garde autour de la hutte. Laya et Ni'kowik profitèrent de leur angle de vision restreinte pour s'enfuir sans être vus.

Le roi savait qu'à l'est de la cité se trouvait une canalisation d'eau qui leur permettrait de se rendre jusqu'au lac. Ils allaient devoir nager et prendre garde aux alligators intrépides qui s'approchaient parfois de la cité.

Ils durent se mettre à l'abri à quelques occasions en raison des chauveyas qui les survolèrent. Ce fut les seules vraies menaces qu'ils eurent à affronter durant le parcours.

Alors qu'ils passaient devant un temple plus petit que les autres qui servait surtout à la perception des impôts, Laya remarqua une table de roc sur laquelle reposait un objet ovale. Au-dessus, on voyait un nuage rosâtre qui tournait lentement. Laya fit signe au roi de Tazumal de regarder. Ce qu'il fit en haussant les épaules en signe d'ignorance. Plus ils se rapprochaient du temple, mieux Laya pouvait voir ce qu'était la forme. Et c'était horrifiant.

Ni'kowik plissa les yeux.

– Qu'est-ce que c'est ?

Une voix se fit entendre derrière eux :

– C'est ma tête.

Le nain invita Yaloum et Tuzumab à s'asseoir avec lui afin de partager un verre de ka-ka-wa chaud. Yaloum et Tuzumab acceptèrent, surtout pour éviter d'offusquer leur hôte.

La salle dans laquelle ils se trouvaient était remplie d'objets insolites aux usages inconnus qui n'étaient faits ni de terre cuite ni de pierre d'obsidienne, mais d'un matériau gris, blanc et luisant qui reflétait les lueurs environnantes. Tuzumab ne parvenait pas à décoder celui qui était devant lui. Nulle intuition ne pouvait le guider dans l'attitude à adopter avec cet homme.

Le nain leur servit deux gobelets de ka-ka-wa, qui laissaient échapper des vapeurs sucrées. Yaloum ferma les yeux de plaisir en le dégustant à petites gorgées.

– J'en ai bu déjà mais cela fait si longtemps. C'est délicieux. Le nain ne porta pas attention à ce qu'elle venait de dire. Il but une gorgée de son gobelet et demanda :

– Vous croyez que le bulbutik existe ?

– Oui, fit Tuzumab.

– Vous concevez donc qu'il existe un autre monde que les trois que nous connaissons ?

– Je n'y ai jamais réfléchi, fit Tuzumab, qui observait Yaloum savourer la délicieuse boisson.

Le nain vida son gobelet d'un trait, s'essuya la bouche du revers de la main. Puis il contempla le fond de sa tasse avant d'ajouter :

– Je ne vous ai pas dit mon nom, je reçois si peu que j'en oublie les bonnes manières. Je m'appelle Chikop.

– Qui signifie « petit animal », dit Yaloum. Pourquoi ce nom?

Le nain allongea son index au fond de son gobelet pour ramasser la mousse qui s'y était accumulée.

– J'ai été abandonné par mes parents lorsque j'étais encore un enfant. La seule chose qu'ils m'ont laissée est un morceau d'écorce de figuier avec ce nom écrit dessus.

Il fit disparaître son doigt dans sa bouche.

– Et qui vous a sauvé? demanda Yaloum.

– Est-ce vraiment important?

Yaloum comprit qu'il ne désirait pas parler davantage. Tuzumab voulut chasser le malaise :

– Comment faire pour se procurer du bulbutik ?

– Vous ne voulez pas savoir ce qui s'est passé après qu'on m'ait abandonné ? Tout ce qui vous intéresse, c'est ce bulbutik. D'ailleurs, que voulez-vous en faire ? Comment avez-vous été mis au courant de son existence ? Et comment avez-vous fait pour me trouver ?

Chikop ferma les yeux et fronça légèrement les sourcils. Il dit, en baissant le ton :

– L'Arbre cosmique. Vous avez besoin de l'eau pour faire pousser une graine qui croîtra rapidement.

– C'est effectivement le cas, fit Tuzumab.

Chikop continua à explorer ses pensées. Il ouvrit soudain les yeux et fixa le père de Pakkal :

– Vous avez été en contact avec Ah Puch !

Yaloum porta le gobelet à sa bouche. D'un geste, Ckikop le frappa et le gobelet alla se fracasser sur le mur. Yaloum était désarçonnée.

– Pourquoi avez-vous fait cela ?

– En avez-vous bu ?!

– Bien sûr que j'en ai bu. Vous me l'avez offert pour ça, non ?

Le nain se prit la tête à deux mains.

– Que se passe-t-il ? demanda Yaloum. Je devrais m'inquiéter ?

Chikop, au lieu de répondre à sa question, demanda à Tuzumab :

– Vous avez reçu l'illumination, non ?

La situation devenait de plus en plus confuse. Yaloum, qui était de plus en plus inquiète, relança sa question :

– Que se passe-t-il ? Pourquoi m'avoir demandé si j'avais bu du ka-ka-wa ?

– Parce que j'y ai mis du bulbutik !

Les paupières de Yaloum s'ouvrirent toutes grandes. Elle savait ce que cela signifiait. Elle tourna la tête vers les momies.

Tuzumab était confus.

– J'en ai bu également, dit-il.

– Vous, il ne vous arrivera rien parce que vous avez été illuminé.

– Illuminé ? Qu'est-ce que ça signifie ?

– Ah Puch a ouvert vos canaux. C'est pour cette raison que vous avez une si grande intuition. Vous avez la Connaissance et il a fait de vous un conducteur !

Les canaux ? La Connaissance ? Un conducteur ? Quel charabia !

Tuzumab se rappelait très bien de sa rencontre avec Ah Puch dans le Monde inférieur. Il avait perdu conscience, mais une fois revenu à lui, le seigneur de la Mort était disparu. Pourtant, on disait qu'une rencontre avec Ah Puch était toujours mortelle.

– Je ne comprends rien à ce que vous dites, fit Tuzumab.

– C'est Ah Puch qui vous a accordé une si puissante intuition. Mais ce faisant, il a fait de vous un informateur. Voilà pourquoi il vous a laissé la vie sauve. Tout ce que vous savez, il le sait.

– Cela signifie qu'il est au courant de nos recherches et de notre désir de faire repousser l'Arbre cosmique ?

– Oui, et bien plus encore : il sait maintenant où me trouver.

Chikop, si sûr de lui quelques instants auparavant et à la limite de l'arrogance, avait maintenant le visage décomposé par la découverte qu'il venait de faire.

Il expliqua à Tuzumab d'où il venait. Après avoir été abandonné par ses parents, il avait marché dans la forêt plusieurs jours sans rencontrer âme qui vive. Il n'avait que quatre ans, il était affamé, terrorisé. Chemin faisant, il avait croisé un grand être à la peau en putréfaction qui portait des clochettes autour du cou. C'est à ce moment que Ah Puch lui avait donné l'illumination. Soudain, Chikop avait su quel chemin il devait emprunter pour rentrer chez lui.

Ses parents, effarés par son retour, demandèrent conseil au roi de la cité. On soupçonnait le garçon d'être un véritable suppôt de Xibalbà. On lui offrit d'être l'assistant personnel du roi. À quatre ans, il fut mis au courant des affaires les plus délicates de la ville, car ses conseils étaient toujours judicieux. Il joua ce rôle pendant plus de trente ans, jusqu'à ce qu'il se mette à prédire des malheurs. Il comprit alors que Ah Puch se servait de lui comme messager de la mort, qu'il n'était rien de plus qu'un sous-fifre au service du seigneur de Mitnal.

Dès lors, Chikop utilisa ses facultés pour prévenir les calamités. Il se mit à contrecarrer systématiquement tous les sombres desseins de Ah Puch qu'il arrivait à décoder d'avance. Pour Xibalbà, il devint l'ennemi à abattre. Il dut fuir la cité et sa tête fut mise à prix. Malgré cela, il visitait les villages et villes et prévenait leurs chefs des désastres que Ah Puch leur réservait.

Tuzumab l'interrompit. Il venait de regarder sa compagne de voyage.

– Yaloum ! murmura-t-il, horrifié.

D'un ton monocorde, le nabot affirma :

– Il est trop tard.

Lorsque Laya et le roi de la cité se retournèrent, ils virent un être très grand au torse musclé et à la tête de hibou, qui leur dit :

– Ma bouche aspire tous les sak nik nahal du Monde intermédiaire. Bientôt, ils formeront la totalité des êtres de la Cinquième création.

Il regarda Laya.

– Nos enfants.

La princesse se tourna vers le roi et, pointant l'énergumène en face d'elle, elle s'écria :

– Il a dit « nos » enfants ? Est-ce que j'ai bien compris ?

Boox, car il s'agissait bien de lui, agrippa l'avant-bras de Laya et grogna :

– Tu ne joueras pas longtemps à ce petit jeu avec moi.

Laya retira son bras de l'étreinte, se pencha et ramassa une poignée de terre qu'elle lui lança au visage.

– Et toi, tu ne me parleras pas sur ce ton !

Boox poussa un cri de colère et se frotta le visage.

Même si Ni'kowik était effrayé par le chef des Gouverneurs, il s'interposa pour protéger la jeune fille. Il espérait que sa prestance naturelle allait jouer en sa faveur.

– Je suis le roi d'une cité où on ne traite pas les dames de cette façon.

Boox entoura la tête du roi de ses mains. Il le souleva dans les airs. Ni'kowik tentait de se dégager, en vain.

– Voilà ce que je fais avec le roi de la cité, moi.

Avec son bec, il arracha le nez de Ni'kowik et l'avala. Puis, il enserra sa tête si fort qu'il parvint à rapetisser son crâne. Le roi poussa un dernier cri de douleur. Du sang s'écoula de sa bouche et de ses oreilles, et son corps devint aussi flasque qu'un ballon dégonflé. Comme s'il s'agissait d'un détritus, Boox le laissa tomber. Laya se précipita sur lui. Le roi était mort, il n'y avait aucun doute. Et sa tête n'était pas plus grosse que son poing.

– Pourquoi ?! demanda-t-elle, choquée.

– C’était lui qui devait célébrer notre mariage, dit l’homme à la tête de hibou. Je ne le trouvais pas digne de partager avec nous ce moment si intime et si important de notre vie.

Boox poussa un ululement. Plusieurs emperators s’approchèrent. Laya se releva et mit ses mains sur sa bouche.

– Je déteste les scorpions !

– Approche, je vais te protéger.

Laya ne bougea pas. Boox fit un signe de la main. Les emperators se précipitèrent sur le cadavre du roi. Laya poussa un cri et n’eut d’autre choix que de se rapprocher du chef des Gouverneurs, qui la serra sur sa poitrine. Les scorpions géants dévorèrent Ni’kowik en un temps record.

– Tu seras malheureuse avec moi, dit Boox à Laya, qui observait les emperators avec dégoût. Je te le promets.

Il poussa une succession de bruits qui pouvait être interprétée comme un rire.

Laya fut traînée par Boox jusqu’à la hutte qui servait de prison. Elle y pénétra et se précipita au fond.

– Je vous avertis, dit-elle. Si vous me touchez, vous êtes mort. Je connais des gens très puissants.

– Vraiment ? ricana Boox. Comme ce roi au nez très fin dont je me suis régalé et qui a servi de repas aux emperators ?

– Pakkal, le prince de Palenque, est une force de la nature. Il va vous faire regretter chacun de vos gestes ignobles.

– Pakkal... N'est-ce pas ce jeune homme aux douze orteils qui tente de sauver la Quatrième création ? La dernière fois que je l'ai rencontré, je l'ai envoyé valser dans un arbre. Il serait mort si Ah Puch ne m'avait pas rappelé pour m'annoncer la bonne nouvelle de notre mariage. On m'a souvent parlé de toi, mais je ne croyais pas que tu existais vraiment.

– Pourquoi a-t-il fallu que ça tombe sur moi ? Qu'est-ce que j'ai de particulier ?

Boox approcha et prit une poignée des cheveux de la princesse. Laya bougea la tête, incommodée.

– Tes cheveux. Ils sont jaunes. Jaunes comme le maïs.

Elle appuya ses deux mains sur le poitrine musclée de Boox et le repoussa.

– Ce n'est pas vrai. Mes cheveux sont noirs !

– Ils le sont pour l'animal stupide que tu es. Mais pas pour les sak nik nahal, qui te voient avec des cheveux d'or. Tu es la seule qui puisse engendrer mes enfants. Nous allons créer une nouvelle race pure et supérieure. Il y a si longtemps que je te cherche, je ne raterai pas ma chance.

– Les feuilles dans les arbres deviendront bleues le jour où je deviendrai ton épouse.

– Tu es exactement le type de femme que je recherche : passionnée et entêtée. Je t'aime déjà.

– Vous me dégoûtez !

– Tu le seras vraiment lorsqu'il te faudra embrasser sur la bouche ma tête momifiée. Tous les sak nik nahal entreront dans ton corps et tu devras les accoucher un à un. Tu as devant toi des années et des années de souffrances ininterrompues. Tu n'auras plus jamais de répit. Comme la reine d'une fourmilière. Et à chacun des enfants que tu mettras au monde, je remettrai un de tes cheveux qui le fera grandir à une vitesse folle. En moins d'une journée, le bébé naissant se transformera en un adulte en mesure d'habiter la Cinquième création.

Il tira de sa ceinture un collier fait de crânes humains beaucoup plus petits que la normale. Il y en avait sept. Il le tendit à la princesse.

– Ce collier est un cadeau pour toi. En signe de mon amour.

Laya ne le prit pas. Elle détourna la tête :

– C'est affreux.

– Bien sûr que c'est affreux. Sinon, je ne te l'offrirais pas. Ce sont les têtes de mes anciennes épouses. Si tu ne le portes pas, j'en serai offusqué.

Laya se pencha et s'empara d'une branche longue et mince qu'elle brandit devant Boox.

– Eh bien, il vous faudra attendre longtemps parce que je ne me laisserai pas faire !

Elle réunit toutes ses forces pour fracasser la branche sur son épaule. Laya regarda la tige qui lui restait dans les mains. Boox n'avait même pas bronché.

– Mets ce collier autour de ton cou. C'est un ordre !

– Non !

Avec ses poings, elle martela la poitrine de Boox.

– Allez-vous-en ! Je ne me marierai pas avec vous !

Boox maîtrisa Laya aussi facilement que si elle était une enfant et lui enfila lui-même le collier.

– Tu le gardes, sinon, ta tête ira rejoindre celle de mes dernières épouses sur ce collier.

Il sortit. Laya se mit à genoux et poussa un hurlement de désespoir. Jamais elle n'épouserait ce monstre, jamais elle ne serait la mère de ses enfants ! Elle songea très fort à Pakkal, dans l'espoir qu'il puisse capter ses signaux de détresse. Lui seul pouvait la sauver de cette situation désespérée.

Lorsqu'elle entendit des pas, elle releva rapidement la tête. Était-il possible que ses vœux soient déjà exaucés ?

– Pakkal ? demanda-t-elle avant de voir qui était entré dans la hutte.

Yaloum était toujours assise à la table. Toutefois elle ne bougeait plus et sa peau était devenue aussi sèche que de l'écorce. Ses yeux et sa bouche étaient intacts, mais ses joues étaient plus creuses et ses doigts se craquelaient.

– Il faut faire quelque chose, fit Tuzumab.

– Il est trop tard, dit Chikop.

– Pourquoi avoir laissé faire cela ?

– Je ne savais pas encore que vous étiez des amis. Je n'ai pris aucun risque. Les personnes qui réussissent à me trouver viennent le plus souvent pour me tuer parce qu'ils me considèrent menaçant pour leur foi.

Tuzumab regarda son gobelet et dit :

– Vous m'avez versé une dose de bulbutik à moi aussi ?

Chikop fit signe que oui.

– Mais vous ne deviendrez pas comme votre camarade. Je vous l'ai dit, vous êtes immunisé parce que vous êtes un illuminé.

Le bulbutik vous permettra de survivre sur Chak Ek'. Vous seul méritez d'en obtenir.

Chikop trouva sur ses étagères un contenant de métal gris qui reflétait la lumière. Il le remit à Tuzumab.

– Vous en aurez besoin.

– Pourquoi ?

Chikop fixa le plafond.

– Quand nous serons là-haut.

– Un instant, fit Tuzumab. Êtes-vous en train de me dire que Chak Ek' existe réellement ?

– Ce monde existe bel et bien. Là-bas, vous trouverez beaucoup de gens comme vous et moi. Des illuminés qui peuvent vivre sans crainte d'être capturés et torturés par Ah Puch. C'est un lieu très différent d'ici. Par exemple, les années ne durent même pas une journée. Mais vous verrez, on s'y fait rapidement.

Tuzumab était dépassé par les événements. Il tentait de se servir de ses pouvoirs afin de vérifier si Chikop disait vrai. Devait-il lui faire confiance ? Il n'en avait aucune idée. Il avait tout de même transformé la pauvre Yaloum en momie !

Le nain perçut ses hésitations.

– Je vois que vous vous méfiez de moi.

– En effet. Dans ce monde cruel, je l'ai appris durement, accorder sa confiance à un étranger peut être fatal.

Il montra de la tête Yaloum.

– Regardez mon amie. Nous n'aurions jamais dû accepter votre offre de boire du ka-ka-wa.

– Ne gaspillez pas vos énergies. Vous n'arriverez pas à entrer dans ma tête. Les illuminés sont habituellement imperméables entre eux. Si j'avais pu, je vous aurais analysé plus en profondeur et j'aurais su que vos intentions n'étaient pas malveillantes. C'est la première fois qu'on me rend visite et qu'on ne cherche pas à attenter à ma vie.

Le père de Pakkal regarda la momie de Yaloum. Il déplorait qu'elle ait été victime de la paranoïa du nabot. C'était une mort inutile.

Chikop le tira de ses pensées.

– Êtes-vous prêt à partir là où Ah Puch ne pourra pas nous retrouver ?

– Je ne peux pas partir.

– Il le faut. Ah Puch sait maintenant où j'habite. Il sera là d'un instant à l'autre. Le temps presse.

Tuzumab exhiba la graine qui allait devenir le prochain Arbre cosmique.

– Je dois rapporter du bulbutik et semer un nouvel Arbre.

– Cela devra attendre. Si vous sortez d'ici, vous êtes un homme mort. Attention !

Derrière Tuzumab, une main griffue apparut, qui appartenait à Cabracàn. La tortue s'empara d'une momie et l'emporta avec elle. Tuzumab se demanda ce qu'il était advenu de Zipacnà. Y avait-il eu un affrontement entre les deux ?

Quelques instants plus tard, une chauve-souris géante apparut à l'entrée de la caverne.

– Il y a si longtemps que je te cherche, fit-il.

Chikop recula. Instinctivement, Tuzumab fit de même.

Zotz avança vers les deux Mayas et, de la pointe de sa lance, fit tomber les momies les unes après les autres.

– J'avoue que je commençais à désespérer. Puis on m'a dit qu'un des collaborateurs de Ah Puch t'avait trouvé. Savais-tu qu'il y a des personnes comme vous qui sillonnent le monde maya ? Tôt ou tard, tu allais te faire prendre. C'était une question de temps.

Le dieu Chauve-souris parvint à la table. Il bouscula la chaise sur laquelle Yaloum était assise et fit tomber celle-ci avant de prendre sa place.

– Venez vous asseoir, nous allons discuter un peu. Rien ne presse, je sais que la seule sortie se trouve derrière moi.

Tuzumab regarda Chikop. Il était livide. S'il n'y avait pas d'issue autre que celle de l'entrée, ils étaient perdus. Zotz porta son regard sur Tuzumab.

– La graine, dit-il. Donne-la-moi.

Le père du prince de Palenque fit non de la tête. Cama Zotz prit le gobelet qu'il avait devant lui et le sentit.

– De toute façon, dit-il, le vieil Arbre cosmique est mort et tombera au premier coup de vent.

Chikop intervint :

– Quelle pourriture vous êtes et vous avez toujours été !

Zotz ricana :

– Si seulement Ah Puch ne m'avait pas demandé de te ramener vivant, il y a longtemps que tu ne pourrais plus parler.

Le dieu malveillant se releva.

– Il te veut vivant, mais pas nécessairement en bonne forme. Je vais m'amuser un peu avec toi avant de te sortir de ton trou.

Cama Zotz tendit sa lance. Au même instant, Chikop s'empara d'un des objets de métal brillant fixés à la paroi rocheuse. La lame de l'épée était mince et grise. Le nabot la plaça devant lui, en position défensive.

– Le bulbutik, fit Chikop à Tuzumab. Buvez-en.

Le père du prince hésita.

– Maintenant! ordonna-t-il.

Tuzumab obéit.

Chikop donna un coup d'épée sur la lance de Cama Zotz. Le choc fut brutal : l'arme du dieu Chauve-souris fut sectionnée. Voyant qu'il était en danger, Zotz se tourna et ouvrit la gueule, mais aucun son n'en sortit. Quelques instants plus tard, des dizaines de chauveyas prirent d'assaut la caverne de Chikop qui dit à Tuzumab :

– Tout au fond, il y a un trou. Sautez dedans!

Tandis que Chikop combattait les chauveyas, Tuzumab se rendit tout au bout de la salle. Il y avait effectivement un trou dans la pierre. Il hésita avant de s'y laisser tomber.

Il fut happé par un chauveyas qui s'agrippa à son dos. Tuzumab sentit ses griffes déchirer la peau de son dos. Il perdit l'équilibre et chuta.

Dame Zac-Kuk, reine de Palenque, si belle et élégante, était méconnaissable. En fait, elle avait l'air misérable et faisait peur. Ses vêtements étaient sales et déchirés, ses yeux étaient exorbités, ses cheveux ébouriffés, des touffes de ses beaux cheveux avaient été arrachées, des veines bleues et mauves fissuraient son visage au teint gris. Ses ongles étaient longs et jaunes et s'entortillaient sur eux-mêmes. Le coin de ses lèvres était tourné vers le bas.

Elle tenait un panier dans lequel se trouvaient des pinceaux.

– Que me voulez-vous ? demanda Laya.

– Je viens te préparer pour le mariage, fit dame Zac-Kuk.

– Je ne me marierai pas. Vous pouvez repartir.

La reine de Palenque ne l'écouta pas. Elle posa le panier sur le sol et entreprit d'ouvrir les pots de maquillage. Laya, qui avait été effrayée lorsque la reine était entrée, sentait qu'elle n'était pas en danger, même si le corps et l'âme de celle-ci avaient été corrompus par Xibalbà.

– Pourquoi ne pas vous être enfuie ? demanda Laya. Ici, on vous torture. Pourquoi ne pas retourner à Palenque et remonter sur le trône ? L'Armée des dons a besoin de vous. Votre fils a besoin de vous.

– Je n'ai plus de fils, fit la reine déchue en mélangeant des couleurs. Je n'ai jamais eu de fils.

La reine croyait-elle vraiment ce qu'elle disait ou niait-elle l'existence de Pakkal ? se demanda Laya.

– Mais oui, vous avez un fils. Il a six orteils à chaque pied et il a le pouvoir de dominer les insectes.

– Je n'ai pas de fils, répéta Zac-Kuk.

Il y avait encore du bon en elle. La princesse en était persuadée.

– Aidez-moi à sortir d'ici, dit-elle. Nous retrouverons Pakkal et ensemble, nous combattrons les barbares qui vous ont transformée en un des leurs. Vous étiez si belle, Majesté, si magnifique. Il n'est pas trop tard, je sens que vous êtes malheureuse.

Laya toucha les cheveux noirs de Zac-Kuk du bout des doigts. D'un geste vif, cette derrière prit son poignet et la repoussa. La mâchoire tordue par la douleur, elle affirma :

– Je n'ai pas de fils.

Laya tenta de retirer son poignet, mais Zac-Kuk le retint avec force.

– Vous me faites mal, dit Laya.

– Et alors ?

– Lâche-la.

Une voix féminine les fit se retourner. Lorsque la reine vit la femme qui était entrée, elle relâcha la princesse et dit :

– Je n'ai d'ordre à recevoir de personne. Surtout pas de toi.

La dame qui était entrée portait une corde autour du cou. Elle était de la même phratrie que Zac-Kuk : on eût dit que sa peau était atteinte d'une vilaine maladie et elle était si maigre que Laya se demanda comment elle faisait pour se tenir sur ses deux jambes sans tomber. C'était Ix Tab, déesse du Suicide.

– On m'a dit que tu voulais prendre ma place, dit-elle en s'adressant à la reine. Que Ah Puch te verrait bien comme seigneur de la Mort.

– Je ne *veux* pas prendre ta place, dit Zac-Kuk, je *vais* la prendre. Tu n'es plus la préférée de Ah Puch. C'est moi qui le suis, à présent.

– Menteuse ! hurla Ix Tab.

– Vraiment ? Pourquoi crois-tu qu'il m'ait choisie pour préparer la fiancée de Boox ?

Ix Tab fondit sur Zac-Kuk et lui empoigna le cou. Les deux femmes culbutèrent. Laya s'éloigna pour les éviter.

S'ensuivit une vilaine dispute où tous les coups semblaient permis. Les deux femmes se mordirent, se crachèrent dessus, s'arrachèrent des poignées de cheveux, s'égratignèrent la peau avec leurs ongles et se flanquèrent des gifles à qui mieux mieux. Ix Tab, qui poussait des cris aigus chaque fois qu'elle atteignait sa rivale, semblait avoir l'avantage. De fait, alors qu'elle était agenouillée sur la reine, elle prit la corde qu'elle avait au cou et l'entoura autour du cou de la reine. Puis elle appuya son genou sur sa nuque et tira sur le nœud coulant.

Tandis que la reine tentait de se dégager, Laya vit le visage de celle-ci bleuir. Elle sentit le besoin d'intervenir. Elle regarda autour d'elle, trouva une potiche fissurée sur le sol et la fracassa sur la tête de Ix Tab. Son geste mit fin au combat, la déesse du Suicide relâcha dame Zac-Kuk. Elle se retourna vers Laya et lui lança :

– Je vais te faire regretter ton geste. Tu sais que si je te touche, ne serait-ce que du petit doigt, il n'y aura plus qu'une seule pensée qui va t'habiter, celle de t'enlever la vie ?

Tout en parlant, Ix Tab approcha lentement de Laya, le petit doigt en l'air. La princesse recula jusqu'à ce que son dos s'appuie sur le mur de la hutte. Ix Tab était maintenant toute proche.

– Tu la touches et je te ferai revivre les pires moments de ta vie.

Boox était entré dans la hutte. En l'entendant, Ix Tab retira sa main et recula.

– Mais non, voyons, je plaisantais. Je ne ferais jamais de mal à ta très chère fiancée, tu le sais bien. Elle est si belle, si... vivante.

Laya jeta un regard du côté de dame Zac-Kuk. Elle était toujours par terre et se massait le cou, tentant de se remettre du traitement qu'Ix Tab lui avait fait subir. Lorsqu'elle leva son visage, Laya vit qu'elle avait changé : son teint lui semblait plus sain, ses dents avaient repris leur couleur et, malgré la position d'abattement dans laquelle elle se trouvait, elle avait retrouvé une partie de sa beauté. Ix Tab s'adressa à elle :

– Laissons les amoureux à leurs confidences et allons régler notre petit malentendu dehors.

Ix Tab empoigna les cheveux de dame Zac-Kuk et la tira à l'extérieur où elle l'amena jusqu'à l'orée de la forêt.

– Ici, personne ne viendra nous déranger.

Elle approcha son visage de celui de la reine :

– Tu n'as plus rien de commun avec nous. Tu es redevenue une femme ordinaire pleine de défauts et de turpitudes. Tu m'écœures.

Ix Tab s'empara de la corde qu'elle avait glissée dans sa poche et la passa autour du cou de Zac-Kuk.

– Cette fois, je ne te raterai pas. Et juste pour toi, très chère reine de Palenque, je vais déroger à mes règles : je ne te forcerai pas à t'enlever la vie, je vais plutôt le faire moi-même. Ne me remercie pas, c'est un honneur.

Après s'être assurée d'avoir une bonne prise, elle tira sur la corde de toutes ses forces.

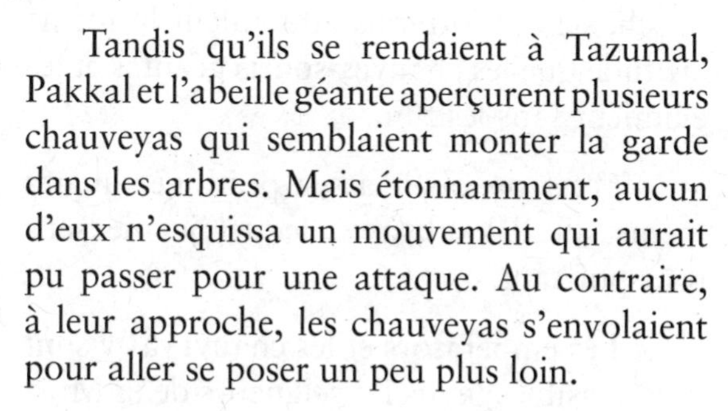

Tandis qu'ils se rendaient à Tazumal, Pakkal et l'abeille géante aperçurent plusieurs chauveyas qui semblaient monter la garde dans les arbres. Mais étonnamment, aucun d'eux n'esquissa un mouvement qui aurait pu passer pour une attaque. Au contraire, à leur approche, les chauveyas s'envolaient pour aller se poser un peu plus loin.

– Pourquoi ne nous attaquent-ils pas ? demanda Pakkal. Ils sont ordinairement beaucoup plus agressifs.

– Ils perçoivent ce que vous trimballez dans votre sac à dos. Ils le redoutent sans savoir ce que c'est.

– Cet objet m'intrigue. Qu'est-ce que c'est ?

– Vous le saurez bientôt. Cela risque de vous choquer, je préfère vous en avertir.

Pakkal se rappela la réaction très vive qu'avait eue « Odeur de moufette ».

– Oui, je m'en doute. J'ai vu de mes yeux l'effet que cette chose peut produire.

Il pénétrèrent enfin dans la cité. Ils furent remarqués par les emperators qui circulaient librement sans qu'aucun ne daigne les approcher. Les scorpions adoptaient la même attitude que les chauves-souris géantes et les évitaient sans les fuir.

– C'est un objet assez pratique, quand même, fit Pakkal, avec lequel je me sens tout-puissant.

– Les emperators et les chauveyas y sont plus sensibles, mais les seigneurs de la Mort le seront beaucoup moins. Lorsque nous allons les croiser, cela risque d'être moins, euh, comment dire ?

– Réjouissant ? suggéra Pakkal.

– Oui. Surtout lorsqu'ils verront ce que vous comptez offrir à Ah Puch. Ce présent ne les rendra pas heureux. Car c'est à ce moment qu'Itzamnà entrera officiellement en guerre contre eux.

Dès qu'ils approchèrent des habitations, Pakkal descendit de sa monture et tous deux se mirent à la recherche de la princesse Laya. Ils ouvrirent les portes de plusieurs huttes, sans succès. Pakkal, chaque fois qu'il y passait la tête, redoutait un face-à-face avec Boox. Il avait encore en mémoire le violent combat qu'il avait mené contre lui, lequel aurait pu lui coûter la vie.

C'est alors que Pakkal eut une sorte d'illumination. Il se dit que la chose qu'il trimballait dans son sac à dos était peut-être...

– Vous avez deviné ? fit Ah Mucen Cab.

Le visage de Pakkal s'assombrit.

– Vous voulez dire que ce serait... ?

– Oui. Quand je vous ai dit qu'Itzamnà entrerait en guerre contre Xibalbà, ce n'était pas une parole en l'air. Ce sera une guerre, une vraie. Celle des dieux. Auparavant, Itzamnà ne prenait pas au sérieux Ah Puch et ses sous-fifres. Il avait d'autres préoccupations plus importantes. Il semble que ce qui l'ait décidé à passer à l'action, c'est lorsque Buluc Chabtan a réussi à corrompre Hunahpù, le Soleil. Ce n'est qu'à ce moment qu'il a compris que la Quatrième création était réellement menacée.

Pakkal songea à ce qu'il portait dans son dos et les poils se dressèrent sur ses bras. C'était à glacer le sang. Pas sûr qu'il aurait pu se promener avec autant de désinvolture s'il avait su, dès le départ, ce que le sac en peau de tapir contenait.

En passant devant un temple, il aperçut deux individus qui semblaient se battre. En s'approchant, il vit que celui qui avait le dessus était sur le point d'étrangler son adversaire. Lorsqu'il fut plus près et qu'il vit le visage de deux femmes, son cœur s'arrêta de battre.

– Ah Mucen Cab! s'écria Pakkal. C'est ma mère! Il faut la sauver!

La chute de Tuzumab, bien qu'elle fût brève, lui sembla durer des heures. Il atterrit lentement sur une surface de sable clair et remarqua qu'une aura blanche entourait ses mains, ses bras, ses jambes et ses pieds, et probablement tout son corps. Il n'avait ni chaud, ni froid, il était bien. L'air qu'il respirait était frais et vivifiant.

Il sentit la chauve-souris géante le relâcher. Lorsqu'il se retourna pour voir ce qu'il advenait d'elle, il la vit se tortiller sur le sol et prendre feu. Un battement de cil plus tard, il ne restait plus rien d'elle.

Chikop le nain apparut, lui aussi nimbé d'un halo blanc. Il était aux prises avec deux chauveyas. Les bêtes subirent le même sort que celle qui avait transporté Tuzumab : elles furent prises de convulsions et s'enflammèrent.

– Saleté de souris volantes, fit Chikop. Je ne m'y habituerai jamais. Et pourtant, j'ai tellement essayé de les aimer !

Il se tourna vers Tuzumab, lequel était fort impressionné par ce qui s'offrait à sa vue. Le sol était d'une teinte orangée, d'un ton légèrement plus sombre que les nuages, qui étaient striés de jaune et de noir. Devant lui, une chaîne de montagnes s'étendait dont les pointes touchaient le ciel.

– C'est splendide, n'est-ce pas ?

Tuzumab, toujours bouche-bée, fit oui de la tête.

– Cependant, dès que vous avez soif, vous devez boire du bulbutik. Il fait très chaud, ici, et l'air est irrespirable. Vous ne voudriez pas finir comme les chauveyas, n'est-ce pas ?

Tuzumab vit plusieurs Mayas s'approcher de lui. Des hommes et des femmes, des vieux et des moins vieux ainsi que quelques enfants, tous nimbés d'une douce lumière blanche.

– Laissez-moi vous présenter aux illuminés, fit Chikop.

L'un deux se détacha du groupe et tendit la main à Tuzumab. Il avait un sourire qui réconforta le père de Pakkal.

– Bonjour. Au nom de tous les miens, je vous souhaite la bienvenue sur Chak Ek'.

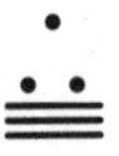

Ah Mucen Cab battit des ailes et s'envola en direction de Ix Tab, qui tentait d'étrangler dame Zac-Kuk. Il entra violemment en contact avec elle et la plaqua au sol. Pakkal se jeta sur sa mère et retira la corde.

– Maman ! Est-ce que ça va ?

Dame Zac-Kuk respirait bruyamment. Elle avait des marques au cou, mais semblait avoir tous ses esprits. Le visage de son fils s'illumina lorsqu'il constata qu'elle n'était plus sous l'emprise du Monde inférieur.

– Salut, Petit singe.

Pakkal l'entoura de ses bras et la serra très fort.

– Oh, maman...

Pakkal éclata en sanglots. De grosses larmes roulèrent sur ses joues, des larmes de joie autant que de soulagement.

Ah Mucen Cab voleta autour de Ix Tab et la piqua sans ménagement. Dès qu'elle le put, la déesse du Suicide déguerpit, suivie de l'abeille géante.

Un cri interrompit les retrouvailles du prince de Palenque et de sa mère. Il provenait de la hutte la plus proche de l'orée de la forêt. Pakkal reconnut immédiatement la voix stridente de Laya.

– Enfuis-toi dans la forêt, dit Pakkal à sa mère en essuyant ses larmes. Je te rejoindrai.

Il se releva. Sa mère le retint :

– N'y va pas. C'est trop dangereux.

Il lui fit un sourire complice.

– Oh... Maman... Si tu savais.

Pakkal entra dans la hutte. Laya était allongée sur le sol et tentait du mieux qu'elle le pouvait de repousser son assaillant, un être à la tête de hibou et au corps musclé : Boox.

Pakkal dégaina son couteau d'obsidienne.

– Relâche-la, dit-il.

Boox se tourna vers le prince.

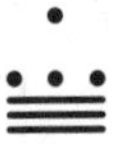

Dame Zac-Kuk courut à toutes jambes dans la forêt, se demandant où elle pourrait trouver refuge. Sa fuite avait attiré l'attention des chauveyas et des emperators. Allaient-ils la considérer comme une ennemie à abattre ?

Après avoir couru pendant ce qui lui sembla une éternité, elle s'arrêta pour reprendre son souffle. La transformation rapide qu'elle venait de subir l'affectait. Elle avait mal à la tête, les muscles de ses jambes étaient en feu et ses plaies au cou la faisaient souffrir.

Au moment où sa respiration reprenait un rythme normal, elle dut se remettre à courir en voyant un chauveyas se poser devant elle.

Lorsqu'elle se retourna pour voir si elle était parvenue à le semer, elle vit que des emperators étaient maintenant à sa poursuite. Quelques enjambées et ils allaient la rattraper.

Elle poussa un cri de stupeur lorsqu'elle vit un être volant atterrir à quelques mètres devant elle. Elle changea de direction, mais il réussit à mettre une patte sur elle. Alors qu'elle se disait que ses chances de survie étaient nulles, l'être lui dit :

– Ne craignez rien, Madame. Je suis Ah Mucen Cab et je connais votre fils. Je suis venu ici pour vous aider.

Lorsque Laya vit le prince, elle repoussa Boox et dit :

– Ce n'est pas trop tôt ! Ce monstre essayait de m'embrasser et il pue !

Puis, à Boox :

– Vous êtes cuit, espèce de mangeur de détritus ! Pakkal va vous donner la correction de votre vie. Vous serez désolé d'exister.

Boox se releva. Laya fit de même et secoua sa robe.

– Bon, la comédie a assez duré. Venez, prince Pakkal, retournons à Palenque. Dire que ce malotru voulait m'épouser. C'est d'un prince charmant dont j'ai rêvé toute ma vie, pas d'un être monstrueux avec un bec de hibou !

Alors qu'elle allait se diriger vers le prince, Boox la retint et la tira brutalement vers lui.

– Tu es à moi !

Laya jeta à Pakkal un regard suppliant :

– Faites quelque chose ! Il me maltraite !

Pakkal analysait les quelques options qui s'offraient à lui. S'il attaquait Boox avec son couteau, il devait être sûr que le chef des Gouverneurs n'allait pas pouvoir répliquer. Trop risqué. Il devrait donc user de son don s'il voulait se sortir de cette situation hasardeuse.

Il serra les mains, ferma les yeux et ordonna à tous les insectes des environs de lui venir en aide.

– Qu'est-ce que vous faites ? demanda Laya. Ce n'est vraiment pas le temps de faire la sieste !

La princesse vit peu à peu la hutte se remplir d'insectes volants qui formèrent une sorte de bouclier entre le prince et Boox.

– Qu'est-ce que c'est que ça ? demanda-t-elle. Pourquoi faut-il que je fasse toujours tout moi-même ?

D'un coup d'épaule ferme, elle parvint à se défaire de l'étreinte de Boox. Puis elle fonça tête première vers la sortie et parvint à prendre la poudre d'escampette. Pakkal était maintenant seul avec Boox, qui fit craquer ses jointures.

– Enfin seuls, murmura-t-il.

• •

Le chef des Gouverneurs regarda dédaigneusement les milliers d'insectes qui bruissaient devant lui. Avec mépris, il dit :

– Tu crois vraiment que ces pauvres bestioles m'empêcheront de te tuer ? Je pourrais n'en faire qu'une bouchée.

Boox n'attendit pas que Pakkal passe à l'action, il l'attaqua. Mais il avait sous-estimé le bouclier d'insectes qui protégeait le prince de Palenque. Ses gestes étaient considérablement ralentis, ce qui le mit dans une position instable. Pakkal en profita pour lui planter le couteau dans l'épaule, si profondément qu'il n'arriva pas à le retirer.

Boox mit la main sur sa blessure et poussa un cri de douleur.

Furieux, il s'élança une autre fois sur le prince, mais il fut encore arrêté par les insectes, qui formaient des rangs si serrés qu'il était incapable de les isoler. Il recula afin de s'enfuir par l'issue que Laya avait utilisée. Voyant cela, Pakkal partit à sa poursuite.

Une fois à l'extérieur, il ne le vit pas et se dit qu'il avait dû partir à la recherche de Laya. Chaque fois qu'il croisait des emperators ou des chauveyas, il les repoussait en leur montrant le contenu de son sac, ce qui lui permit d'avancer sans être ennuyé. Enfin, il parvint au temple principal où il vit Boox qui retenait Laya. Pakkal s'arrêta au pied de l'édifice. Il s'empara de son sac à dos et le souleva dans les airs.

– Libère Laya, cria-t-il au chef des Gouverneurs. Sinon, je te montrerai ce qu'il y a dans mon sac et tu perdras tous tes moyens.

Pakkal ignorait si la chose pouvait affecter Boox, mais il lui sembla que c'était son unique recours.

Et en effet, Boox émit un hululement strident. Il relâcha Laya, qui alla immédiatement rejoindre Pakkal au bas des marches.

– Tu ne m'empêcheras pas de l'épouser, lui lança Boox.

Laya, qui était derrière Pakkal, lui lança :

– Dites-lui qu'il sent mauvais de la bouche et des aisselles. Et que si vous lui mettez la main dessus, vous allez le laver de force.

Pakkal fronça les sourcils. Cependant, il n'eut pas le temps de répliquer à la princesse. La terre se mit à trembler.

– Oh non, fit Pakkal. Cabracàn...

Boox, qui l'avait entendu, le corrigea :

– Non, ce n'est pas Cabracàn, mais quelqu'un que vous connaissez bien. Je vous avertis : il compte vous dévorer.

Dans le ciel apparurent des centaines de chauveyas qui tenaient une corde, telle une laisse. Ils tentaient tant bien que mal de contenir la fureur d'un des leurs qui faisait cent fois leur taille, mais qui n'était pas Zotz.

– Nom d'Itzamnà ! fit Pakkal.

Laya dit :

– Je l'ai échappé belle. Si cela avait été un scorpion de cette taille, je serais morte sur place.

– Ce n'est pas possible, marmonna Pakkal. Ce ne peut pas être lui.

– Qui ? Vous parlez du chauveyas géant ?

– Oui. Mais je le connais, c'est... mon ami. C'est... Pak'Zil.

Laya murmura :

– Oh, non !

Boox ordonna alors aux chauveyas qui masquaient des pans du ciel :

– Relâchez-le !

À suivre dans :

Pakkal XI - La colère de Boox

Dans la même série :

PAKKAL I / *Les larmes de Zipacnà*
Les Éditions des Intouchables, 2005

PAKKAL II / *À la recherche de l'Arbre cosmique*
Les Éditions des Intouchables, 2005

PAKKAL III / *La cité assiégée*
Les Éditions des Intouchables, 2005

Le codex de Pakkal, hors série
Les Éditions des Intouchables, 2006

PAKKAL IV / *Le village des ombres*
Les Éditions des Intouchables, 2006

PAKKAL V / *La revanche de Xibalbà*
Les Éditions des Intouchables, 2006

PAKKAL VI / *Les guerriers célestes*
Les Éditions des Intouchables, 2006

PAKKAL VII / *Le secret de Tuzumab*
Les Éditions des Intouchables, 2007

PAKKAL VIII / *Le soleil bleu*
Les Éditions des Intouchables, 2007

PAKKAL IX / *Il faut sauver l'Arbre cosmique*
Éditions Marée Haute, 2008

Le deuxième codex de Pakkal, hors série
Éditions Marée Haute, 2008

Autres titres du même auteur :

CIRCUS GALACTICUS
Al3xi4 et la planète de cuivre
Éditions Marée Haute, 2007

• • •

LE BLOGUE DE NAMASTÉ - tome 1
La naissance de la Réglisse rouge
En collaboration avec Marie-Eve Larivière,
Éditions Marée Haute, 2008

LE BLOGUE DE NAMASTÉ - tome 2
Comme deux poissons dans l'eau
En collaboration avec Marie-Eve Larivière,
Éditions Marée Haute, 2008

Phobies-Zéro
Jeunesse

Maxime Roussy est porte-parole de **PHOBIES-ZÉRO volet jeunesse**. Il s'est donné comme mission, entre autres, de démystifier les troubles d'anxiété chez les jeunes en leur racontant avec humour ses expériences liées à son trouble panique avec agoraphobie.

Tu n'es pas seul. Plusieurs personnes se sentent comme toi. La bonne nouvelle c'est que nous pouvons t'aider!

Pour savoir par où commencer, visite le

www.phobies-zero.qc.ca/voletjeunesse

ou communique avec nous au :

(514) 276-3105 / 1 866 922-0002

ACHEVÉ D'IMPRIMER
en novembre 2008 sur les presses de Transcontinental Gagné
pour le compte des Éditions Marée Haute

Imprimé sur Rolland Enviro100, contenant
100% de fibres recyclées postconsommation,
certifié Éco-Logo, Procédé sans chlore, FSC
Recyclé et fabriqué à partir d'énergie biogaz.